中華國學經典百部
精華本

幼学琼林

〔明〕程登吉 著
焦亮 注

中国书店

图书在版编目（CIP）数据

幼学琼林 /（明）程登吉著；焦亮注 . —北京：中国书店，2023.10

（中华国学经典百部：精华本）

ISBN 978-7-5149-2963-8

Ⅰ . ①幼… Ⅱ . ①程… ②焦… Ⅲ . ①《幼学琼林》– 译文 Ⅳ . ① G629.299

中国版本图书馆 CIP 数据核字（2022）第 075450 号

幼学琼林

〔明〕程登吉 著　焦亮 注

责任编辑：武悦

出版发行：中国书店

地　　址：北京市西城区琉璃厂东街 115 号

邮　　编：100050

电　　话：（010）63171753（总编室）

（010）63017857（发行部）

印　　刷：三河市嘉科万达彩色印刷有限公司

开　　本：787mm × 1092mm　1/32

版　　次：2023 年 10 月第 1 版第 1 次印刷

字　　数：124 千

印　　张：6（全 300）

书　　号：ISBN 978-7-5149-2963-8

定　　价：1490.00 元（全 50 册）

前言

人一生的原动力在于儿时的教育。无论从心理学还是生理学来看，幼年时期的教育对一个人的影响举足轻重。首先，幼时学习语言文字的速度更快、更扎实。其次，对幼儿进行是非善恶教育，也会给他们的品行塑造打下一生的基础。所以，中国自古就十分重视幼儿教育，古时从蒙学私塾，到启蒙读物，一代一代影响很大。其中启蒙读物如《千字文》《三字经》《笠翁对韵》《百家姓》《龙文鞭影》《弟子规》等，内容涉及识字、对句、学习典故，以及修身养性等，可以说这些读物抓住了幼儿教育的几大方面。

《幼学琼林》也是一本非常重要的蒙学经典，它最初叫《幼学须知》，一般认为是由明末西昌人程登吉（字允升）编著的，也有人说编著者是明代景泰年间的进士邱濬。到了清朝嘉靖年间，邹圣脉又对其做了一些补充，并更改书名为《幼学故事琼林》，简称《幼学琼林》，后来民国时期费有容、叶浦荪和蔡东藩等人又对其进行了增补。

《幼学琼林》全书共分为四卷，包括天文地理、文臣武职、器用制作、释道鬼神、鸟兽花木、文事科第等三十三个方面的内容，介绍了中国古代的典章制度、风俗礼仪，还有许多名言警句一直传诵不绝。其内容可以说是包罗万象，应有尽有，人称“读了《增广》会说话，读了《幼学》走天下”。总之，这是一部蒙学百科全书。熟读、记诵、揣摩该书，可以掌握宇宙万象与古往今来的丰富信息。正是“不出户，知天下；不窥牖，见天道”。当然，书中一些符合当时风俗习惯的观点，在现在看来已经不合时宜，还需家长和孩子们一起辨别。

全书原文有两万多字，由骈体文写成，都用对偶句，读起来朗朗上口，非常容易阅读和记诵，适合家长和孩子共读。

中华文化源远流长，到了21世纪的今天，相信无论对于成人还是儿童，接触到古文风格的文字，都会觉得陌生。所以，这不仅仅是给儿童启蒙的读物，也是帮助成人学习中国古典文化知识的实用书籍。因此，我们建议家长和孩子们一起阅读。

本书文字内容相对浅显，我们在整理时进行了必要的注释，相信一定会给读者朋友们带来不一样的阅读体验。当然，由于编者学识浅陋，不足之处，还请海涵。

琼者，美玉，最后真诚希望这部珍宝如林的《幼学琼林》能给读者朋友们带来余音绕梁三日之感。

目录

卷一

卷二

卷三

卷四

卷　一

天文

【原文】

混沌初开，乾坤始奠。气之轻清上浮者为天，气之重浊下凝者为地。日月五星，谓之七政[①]；天地与人，谓之三才。

【注释】

①七政：古代的天文术语，也称为七曜。

【原文】

日为众阳之宗，月乃太阴之象。虹名蝃蝀[①]，乃天地之淫气[②]；月里蟾蜍[③]，是月魄[④]之精光。风欲起而石燕[⑤]飞，天将雨而商羊[⑥]舞。旋风名为羊角，闪电号曰雷鞭。青女[⑦]乃霜之神，素娥[⑧]即月之号。

【注释】

①蝃蝀（dì dōng）：彩虹的别称。

②淫气：不正之气。

③蟾蜍（chán chú）：俗称癞蛤蟆。传说月亮里有蟾蜍，三条腿。

④月魄：指月亮不圆时的阴影部分。

⑤石燕：传说中零陵山的一种石头，燕子形状，风起即飞，风停即落。

⑥商羊：传说中的一种动物，长着一只脚。它在下雨时会跳舞。

⑦青女：神话中主霜雪的天神。

⑧素娥：即月亮里的仙女，嫦娥。

【原文】

雷部至捷之鬼曰律令[①]，雷部推车之女曰阿香。云师系是丰隆，雪神乃是滕六[②]。欻火[③]、谢仙，俱掌雷火；飞廉、箕伯[④]，悉是风神。列缺乃电之神，望舒是月之御[⑤]。甘霖、甘澍[⑥]，俱指时雨；玄穹、彼苍，悉称上天。

【注释】

①律令：传说周穆王时的人，行走如飞，死后成为雷部的鬼神。

②滕六：雪之神。雪花六瓣，故名。

③欻（xū）火：掌管雷火的鬼神之一。欻，晃动。

④飞廉：天神，人面鸟身，能招致风。箕伯：传说中箕星掌管风。

⑤御：驾驭马车的人。

⑥澍（shù）：指润泽万物的及时雨。

【原文】

雪花飞六出[①]，先兆丰年；日上已三竿，乃云时晏[②]。蜀犬吠日[③]，比人所见甚稀；吴牛喘月[④]，笑人畏惧过甚。望切者，若云霓[⑤]之望；恩深者，如雨露[⑥]之恩。

参商[⑦]二星，其出没不相见；牛女[⑧]两宿，唯七夕一相逢。后羿[⑨]妻，奔月宫而为嫦娥；傅说[⑩]死，其精神托于箕尾。

【注释】

①六出：指雪花的形状。

②晏（yàn）：晚。

③蜀犬吠日：今四川地区山高雾浓，很少有阳光照射，因此狗一见到太阳就狂吠不止。后以此形容少见多怪。

④吴牛喘月：江淮一带气候炎热，水牛怕热，见到月亮以为是太阳，就喘起气来。后以此形容因疑心而恐惧。

⑤望：盼望。切：急切。云霓：指下雨的征兆。

⑥雨露：指雨和露，比喻恩泽。

⑦参商（shēn shāng）：参和商都属二十八星宿，参星在西，商星在东，此出彼没。

⑧牛女：牛郎星和织女星。

⑨后羿：夏代东夷族首领，善于射箭。

⑩傅说：商王朝相国，辅佐商王武丁进行改革，开创国富民安的局面。相传他去世后，灵魂升天，寄托在箕宿和尾宿之间。

【原文】

披星戴月，谓早夜之奔驰；沐雨栉风①，谓风尘之劳苦。事非有意，譬如云出无心②；恩可遍施，乃曰阳春有脚③。馈物致敬，曰敢效献曝之忱④；托人转移，曰全赖回天之力⑤。感救死之恩，曰再造⑥；诵再生之德，曰二天⑦。

【注释】

①沐雨栉（zhì）风：用雨水洗头，用风梳发。形容奔波劳碌的样子。

②云出无心：白云在山峰间自在无心地飘荡。

③阳春有脚：春日的阳光像长了脚一样，到哪里哪里便充满光

明与温暖。

④献曝（pù）之忱：礼物一般，但心意珍贵。

⑤回天之力：比喻力量之大，可以扭转难以挽回的局面。

⑥再造：获得第二次生命。

⑦二天：是对庇佑者的感恩之辞。

【原文】

势易尽者若冰山[①]，事相悬者如天壤[②]。晨星谓贤人寥落，雷同[③]谓语言相符。心多过虑，何异杞人忧天[④]；事不量力，不殊夸父追日[⑤]。如夏日之可畏，是谓赵盾；如冬日之可爱，是谓赵衰[⑥]。齐[⑦]妇含冤，三年不雨；邹衍[⑧]下狱，六月飞霜。父仇不共戴天[⑨]，子道须当爱日[⑩]。

【注释】

①冰山：天暖即融化。比喻无法长期依赖的靠山。

②天壤：天地之间，相差极大。

③雷同：指一打雷，万物便同时响应，后泛指相同，随声附和。

④杞（qǐ）人忧天：《列子·天瑞》篇记载的一个故事，讲杞国有个人总是害怕天塌下来，寝食难安。

⑤夸父追日：《山海经》记载的一个故事，夸父不断追逐太阳，最后渴死在路上。

⑥赵盾、赵衰：赵盾、赵衰都是春秋时晋国贤臣。赵衰是赵盾之父，父子二人性格相反，赵盾为人刚猛急躁，被人称为“夏日之日”，酷热而让人恐惧；赵衰为人和蔼可亲，被人称为“冬日之日”，温暖而让人喜欢。

⑦齐：指汉代的齐地，今天山东一带。

⑧邹衍：战国时期的哲学家。

⑨不共戴天：不能共存于人世。

⑩子道：为人子女侍奉父母的道理。爱日：珍惜光阴。

【原文】

盛世黎民，嬉游[①]于光天化日之下；太平天子，上召夫景星庆云[②]之祥。夏时大禹在位，上天雨金[③]；《春秋》《孝经》既成，赤虹化玉[④]。箕好风，毕好雨，比庶人[⑤]愿欲不同；风从虎，云从龙，比君臣会合不偶。雨旸时若[⑥]，系是休徵[⑦]；天地交泰[⑧]，斯称盛世。

【注释】

①嬉游：游乐。

②景星庆云：古人认为这是祥瑞之兆。景星，德星。庆云，五色云。

③雨金：像下雨一样落金子。

④赤虹化玉：彩虹变成了美玉。

⑤庶人：没有官位的平民百姓。

⑥雨旸（yáng）时若：指晴雨都符合时节。时若，比喻四时和顺。

⑦休徵（zhēng）：吉祥美好的征兆。

⑧交泰：天地融合，万物通泰。

地舆

【原文】

黄帝画野[1]，始分都邑[2]；夏禹治水，初奠山川。宇宙之江山不改，古今之称谓各殊。北京原属幽燕[3]，金台是其异号；南京原为建业[4]，金陵又是别名。浙江是武林[5]之区，原为越国；江西是豫章[6]之郡，又曰吴皋[7]。福建省属闽中[8]，湖广地名三楚[9]。东鲁、西鲁，即山东、山西之分；东粤、西粤[10]，乃广东、广西之域。河南在华夏之中[11]，故曰中州；陕西即长安[12]之地，原为秦境。四川为西蜀[13]，云南为古滇[14]。贵州省近蛮[15]方，自古名为黔[16]地。

【注释】

①野：界限。

②都邑（yì）：上古行政区域名称和庶民的编制单位。

③幽燕：今河北、北京及辽宁一带。

④建业：三国时东吴曾迁都到南京，改名“建业”。

⑤武林：杭州的别称。因其西部有武林山（即灵隐山）而得名。

⑥豫章：今江西南昌。汉朝时为豫章郡所管辖。

⑦吴皋（gāo）：春秋战国时豫章郡与吴交界，因此得名。

⑧闽中：秦始皇嬴政所设的郡治。治所在今福州市。

⑨三楚：秦汉时把战国时期的楚国一分为三，即西楚、东楚、南楚。

⑩粤（yuè）：古时西南地区的少数民族泛称“百越”。粤，同“越”。

⑪华夏之中：河南正好位于古代九州的中心地带，因而有此称。

⑫长安：今陕西西安一带。

⑬西蜀：今四川省。古时称蜀地，因在中国西部，称西蜀。

⑭滇：古族名，聚居在今云南省滇池附近。现在是云南省的简称。

⑮蛮：中国古代对长江中游及其以南地区少数民族的泛称，亦称南蛮。

⑯黔：贵州省的简称。因有黔灵山、黔灵河而得名。

【原文】

东岳泰山①，西岳华山②，南岳衡山③，北岳恒山④，中岳嵩山⑤，此为天下之五岳；饶州之鄱阳⑥，岳州之青草⑦，润州之丹阳⑧，鄂州之洞庭⑨，苏州之太湖⑩，此为天下之五湖。

【注释】

①泰山：在山东泰安市。也称泰岱。

②华山：在陕西华阴南。又称太华山。

③衡山：在湖南中部。

④恒山：在山西大同浑源县南。

⑤嵩山：在河南登封市北。

⑥鄱阳：鄱阳湖在江西省北部。古称彭蠡。

⑦青草：青草湖在今湖南岳阳市西南。又名巴丘湖。

⑧丹阳：丹阳湖位于安徽当涂县博望镇南部。

⑨洞庭：洞庭湖位于湖南岳阳。

⑩太湖：大部分水域位于江苏苏州。古称震泽。

【原文】

金城汤池[①]，谓城池之巩固；砺山带河[②]，乃封建之誓盟。帝都曰京师，故乡曰梓里[③]。蓬莱弱水[④]，惟飞仙可渡；方壶员峤[⑤]，乃仙子所居。沧海桑田，谓世事之多变；河清海晏[⑥]，兆天下之升平。

【注释】

①金城汤池：城墙像金属铸造的一样坚固，护城河像热水一样不能接近。

②砺（lì）山带河：泰山小得就像一块磨刀石，黄河细得像衣带。

③梓里：指故乡，即桑梓。古代人家常在宅院旁种植桑树或梓树，因此以其代指故乡。

④蓬莱：即蓬莱山，古代传说中的仙山。弱水：古代传说中难以泅渡的河水。

⑤方壶、员峤（qiáo）：都是神话中的仙山名。

⑥河清海晏：黄河水清澈，沧海波平浪静。形容国家安定。

【原文】

水神曰冯夷[①]，又曰阳侯[②]，火神曰祝融[③]，又曰回禄[④]。海神曰海若，海眼曰尾闾[⑤]。望人包容，曰海涵；谢人恩泽，曰河润[⑥]。无系累[⑦]者，曰江湖散人[⑧]；负豪气者，曰湖海之士[⑨]。问舍求田[⑩]，原无大志；掀天揭地[⑪]，方是奇才。

【注释】

①冯（féng）夷：即河伯，传说是黄河之神。

②阳侯：传说中的波涛之神。

③祝融：火神，帝喾时的掌火官。

④回禄：传说中的火神，是火灾的代称。

⑤海眼：即泉眼。尾闾（lǘ）：传说中泄海水的地方。

⑥河润：比喻施恩于人。

⑦系累：牵挂。

⑧江湖散人：指毫无牵挂的人。

⑨湖海之士：形容性格豪爽的人。

⑩问舍求田：置办屋舍田产。多指求个人小利。

⑪掀天揭地：翻天覆地。比喻本领高强。

【原文】

凭空起事，谓之平地风波①；独立不移，谓之中流砥柱②。黑子弹丸③，极言至小之邑；咽喉右臂，皆言要害之区。独立难持，曰一木焉能支大厦；英雄自恃④，曰丸泥亦可封函关⑤。

【注释】

①平地风波：比喻事情遇到意外的变故。

②中流砥柱：比喻能担当重任的人。

③黑子：黑痣，比喻地方狭小。弹丸：发射弹弓用的泥丸等。

④自恃（shì）：依仗。

⑤丸泥亦可封函关：用一颗泥丸也可以封住函谷关。形容地势险要。

【原文】

事先败而后成，曰失之东隅，收之桑榆①；事将成而终止，曰为山九仞，功亏一篑②。以蠡测海③，喻人之见小；精卫衔石④，比人之徒劳。跋涉谓行路艰难，康庄⑤谓道路平坦。硗地曰不毛之地⑥，美田曰膏腴之田[7]。得物无所用，曰如获石田[8]；为学已大成，曰诞登道岸[9]。

【注释】

①失之东隅，收之桑榆：比喻在一处有了损失，在另一处会得到补偿。东隅，日出之处。桑榆，落日照耀的地方。

②为山九仞，功亏一篑：要堆九仞高的山，只差一筐土也是无法完成的。九仞，言山之高。亏，欠缺。

③以蠡（lí）测海：用瓢来称量海水。比喻以浅薄的见识来揣度事物。

④精卫衔石：喻有雄心壮志。也指徒劳地去做某事。

⑤康庄：四通八达的地方。形容宽阔平坦。

⑥硗（qiāo）：指土地贫瘠。不毛之地：不长庄稼的地方。

⑦膏腴（yú）之田：肥沃的土地。膏，肥肉。腴，肥沃。

⑧石田：田地里石头很多，无法耕种。

⑨诞登道岸：到达彻悟的终极境界。

【原文】

淄渑[1]之滋味可辨，泾渭[2]之清浊当分。泌水乐饥[3]，隐居不仕；东山高卧[4]，谢职求安。圣人出则黄河清[5]，太守廉则越石见[6]。美俗曰仁里[7]，恶俗曰互乡[8]。里名胜母[9]，曾子不入；邑号朝歌[10]，墨翟回车[11]。

【注释】

①淄渑（zī shéng）：淄水、渑水，都在山东省。传说淄水甘甜，渑水苦涩，若将二水掺和，则甘苦难辨。

②泾渭（jīng wèi）：泾水、渭水，甘肃、陕西省境内的两条河流。泾水清澈，渭水浑浊，二水合流时，依然可以分得很清楚。

③泌（bì）水乐饥：隐居之士以喝泉水为乐。隐者的自乐之喻。

泌水，涌出的泉水。

④东山高卧：东山在今天浙江省上虞西南，晋代谢安曾在此隐居。

⑤圣人出则黄河清：古人认为黄河一千年清一次，黄河水清，则圣人将出现。

⑥太守廉则越石见：传说福州南海边有越王石，常隐藏于云雾中，只有好官来到，它才显现。

⑦仁里：指风俗淳朴的地方。

⑧互乡：指互相为恶的地方。

⑨胜母：里巷名。曾子以孝著称，他觉得胜母这个地名有不孝之嫌，因此拒绝进入这个地方。

⑩朝歌：商朝的都城。

⑪墨翟回车：墨翟即墨子，是春秋战国时的思想家。他认为统治者不应该大办音乐歌舞，沉迷宴乐，因此到了朝歌这个地方，便掉转车头走了。

【原文】

击壤而歌①，尧帝黎民之自得；让畔而耕②，文王百姓之相推。费长房③有缩地之方，秦始皇有鞭石之法④。尧有九年之水患，汤⑤有七年之旱灾。商鞅不仁而阡陌开⑥，夏桀无道而伊洛竭⑦。道不拾遗，由在上有善政；海不扬波，知中国有圣人。

【注释】

①击壤而歌：帝尧时，有老人敲击泥块唱歌。比喻太平盛世。

②让畔而耕：种田的人互相谦让着耕种。畔，田地界限。

③费长房：东汉人。相传他学得一种仙术，可以随意到任何地方。

④鞭石之法：传说秦始皇想造座石桥，渡海到日出的地方看看。当时有个神人，鞭打着石头入海。如果石头走得慢了，他就用鞭子抽打，石头因此流出了血。后讹传为秦始皇有鞭石之力。

⑤汤：商朝的开国之君。

⑥商鞅：战国时卫国人。不仁：不讲求仁德。阡陌开：实行土地私有制，这是商鞅变法的内容。

⑦夏桀：夏朝最后一个君主。无道：不行正道。伊洛竭：伊河和洛河枯竭。二河都在河南省。

岁时

【原文】

爆竹一声除旧，桃符[①]万户更新。履端[②]是初一元旦；人日[③]是初七灵辰。元日献君以《椒花颂》[④]，为祝遐龄[⑤]；元日饮人以屠苏酒[⑥]，可除疠疫。新岁曰王春，去年曰客岁。火树银花合，谓元宵灯火之辉煌；星桥铁锁开，谓元夕金吾[⑦]之不禁。

【注释】

①桃符：古代挂在大门上的两块桃木板，上面画着门神神荼和郁垒，用以驱鬼压邪。

②履端：一年的开始。

③人日：古人称农历正月初一为鸡日，初二为狗日，初三为猪日，初四为羊日，初五为牛日，初六为马日，初七为人日。

④《椒花颂》：据《晋书·列女传》记载，晋代刘臻的妻子陈氏在正月初一献给君王--篇《椒花颂》，后人便以此代指新年贺词。

⑤遐龄：高龄，长寿。

⑥屠苏酒：古代酒名，在农历正月初一饮用。

⑦金吾：古代官名。负责警卫、仪仗和掌管治安的官员。

【原文】

二月朔为中和节[①]，三月三为上巳辰[②]；冬至百六[③]是清明，立春五戊为春社[④]。寒食节是清明前一日，初伏日[⑤]是夏至第三庚[⑥]。四月乃是麦秋[⑦]，端午却为蒲节[8]。六月六日，节名天贶[9]；五月五日，序号天中[10]。

【注释】

①朔：农历的每月初一。中和节：唐代以二月初一为中和节。这天百姓用青囊装满瓜果互相赠送，并且酿好春酒祭神，祈求风调雨顺。

②上巳辰：古时以农历三月的第一个干支带"巳"的那天作为上巳。这一天所有人都来到水边游乐浣洗以驱邪。到魏晋以后，就固定在了三月初三日。

③百六：指一百零六天。

④五戊：指的是立春后第五个干支带"戊"的日子。春社：古代人们祭祀土神，以祈求年成风调雨顺的活动。

⑤初伏日：即初伏。夏至之后第三个庚日，或者指从夏至后第三个庚日到第四个庚日之间。

⑥第三庚：农历夏至后第三个庚日起为初伏，第四个庚日起是中伏，立秋后第一个庚日起为末伏。

⑦麦秋：麦子成熟的季节。通常是农历的四五月份。

⑧蒲节：端午节这天，人们常将菖蒲叶和艾叶捆成一束，挂在门上，以辟邪驱鬼。或用菖蒲泡酒以避毒。

⑨天贶（kuàng）：上天的恩赐。

⑩天中：天的中间，是端午节的别称。

【原文】

端阳竞渡，吊屈原之溺水；重九[1]登高，效桓景之避灾[2]。五戊鸡豚宴社[3]，处处饮治聋之酒[4]；七夕牛女渡河，家家穿乞巧之针[5]。中秋月朗，明皇亲游于月殿[6]；九日风高，孟嘉落帽于龙山[7]。秦人岁终祭神曰腊[8]，故至今以十二月为腊；始皇当年御讳[9]曰政，故至今读正月为征。

【注释】

①重九：农历九月初九，又称重阳节。

②桓景之避灾：《续齐谐志》记载，东汉人桓景听从方士费长房的指点，于九月初九带着家人，佩戴茱萸，登高饮菊花酒，以避瘟疫之灾。

③鸡豚（tún）宴社：杀鸡宰猪以祭祀土神。

④治聋之酒：据传春社日饮酒可治疗耳聋。

⑤乞巧之针：民间习俗，女人们于七夕在庭院中穿针引线，向织女星乞求智巧。

⑥明皇：即唐玄宗。月殿：月宫。

⑦孟嘉：东晋江夏人，是陶渊明的外祖父。龙山：在今湖南西部。

⑧腊：古时农历十二月举行的祭祀名。

⑨始皇：即秦始皇，姓嬴，名政。御：专指皇帝的。讳：古时皇帝的名字需要避讳。

【原文】

东方之神曰太皞[①]，乘震[②]而司春，甲乙属木[③]，木则旺[④]于春，其色青，故春帝曰青帝。南方之神曰祝融，居离而司夏，丙丁属火，火则旺于夏，其色赤，故夏帝曰赤帝。西方之神曰蓐收[⑤]，当兑而司秋，庚辛属金，金则旺于秋，其色白，故秋帝曰白帝。北方之神曰玄冥，乘坎而司冬，壬癸属水，水则旺于冬，其色黑，故冬帝曰黑帝。中央戊己属土，其色黄，故中央帝曰黄帝。

【注释】

①太皞（hào）：伏羲氏。

②乘震：居于震位。震，八卦之一。

③木：五行之一。五行是金、木、水、火、土。

④旺：兴盛。

⑤蓐（rù）收：古代汉族神话传说中的秋神。

【原文】

夏至一阴生①，是以天时渐短；冬至一阳生，是以日晷②初长。冬至到而葭灰③飞，立秋至而梧叶落。上弦④谓月圆其半，系初八九；下弦⑤谓月缺其半，系廿⑥二三。月光都尽谓之晦⑦，三十日之名；月光复苏谓之朔，初一日之号；月与日对谓之望⑧，十五日之称。初一是死魄⑨，初二旁死魄⑩，初三哉生明⑪，十六始生魄⑫。

【注释】

①一阴生：阴气初步生长。

②日晷（guǐ）：太阳的影子。此处指白天。

③葭（jiā）灰：芦苇秆内的薄膜烧成的灰。

④上弦：一种月相，农历每月初七或初八的月亮。

⑤下弦：一种月相，农历每月二十二或二十三的月亮。如弓的弦在下部。

⑥廿（niàn）：二十的合写。

⑦晦：农历每月最后一天。

⑧望：农历每月十五，月圆之日。

⑨死魄：指月亮无光泽。

⑩旁死魄：指月亮大部分无光。

⑪哉生明：指月亮开始有光。

⑫始生魄：指月亮开始出现无光的部分。

【原文】

翌日诘朝[①]，皆言明日；谷旦[②]吉旦，悉是良辰。片晌[③]即谓片时，日曛[④]乃云日暮。畴昔曩者[⑤]，俱前日之谓；黎明昧爽[⑥]，皆将曙之时。月有三浣[⑦]：初旬十日为上浣，中旬十日为中浣，下旬十日为下浣；学足三余[⑧]：夜者日之余，冬者岁之余，雨者晴之余。

【注释】

①诘朝：次日清晨。

②谷旦：晴朗美好的日子。

③片晌（shǎng）：极短的时间。

④日曛（xūn）：太阳将落时的余光。

⑤畴昔：过去的日子。曩（nǎng）者：从前。

⑥昧（mèi）爽：天色由暗转明的时候。

⑦三浣（huàn）：唐代规定，官吏十天可休息、沐浴一次，每月分为上浣、中浣、下浣。

⑧三余：泛指闲暇时间。

【原文】

以术愚[①]人，曰朝三暮四；为学求益，曰日就月将[②]。焚膏继晷[③]，日夜辛勤；俾昼作夜[④]，晨昏颠倒。自愧无成，曰虚延岁月；与人共语，曰少叙寒暄。可憎者，人情冷暖；可厌者，世态炎凉。周末无寒年，因东周之懦弱；秦亡无燠岁[⑤]，由嬴氏[⑥]之凶残。

【注释】

①术：策略。愚：欺骗。

②日就月将：每天都有所进步。

③焚膏继晷：点上油灯，接续日光。形容夜以继日地工作、学习。

④俾（bǐ）昼作夜：把白昼当作夜晚，形容不分昼夜地寻欢作乐。

⑤燠（yù）岁：炎热的年份。

⑥嬴氏：指秦朝皇室。

【原文】

泰阶星平曰泰平[①]，时序调和曰玉烛[②]。岁歉[③]曰饥馑之岁，年丰曰大有之年。唐德宗之饥年，醉人为瑞[④]；梁惠王之凶岁，野莩[⑤]堪怜。丰年玉，荒年谷[⑥]，言人品之可珍；薪如桂，食如玉[⑦]，言薪米之腾贵[⑧]。春祈秋报[⑨]，农夫之常规；夜寐夙兴[⑩]，吾人之勤事。韶华[⑪]不再，吾辈须当惜阴；日月其除[⑫]，志士正宜待旦[⑬]。

【注释】

①泰阶星：星座名，又名三台星，共有六颗星，两两并排而斜上，如阶梯。古人将这些星分别对应为天子、诸侯、卿、大夫、士和庶人，认为泰阶星平正就天下太平，否则天下会大乱。

②时序：指自然的节候时令。玉烛：指四时之气和畅。

③岁歉：是指庄稼歉收。

④醉人为瑞：唐德宗年间，由于连年战乱，百姓流离失所，饥荒不断，几乎无人酿酒，一旦有人喝醉，就被认为是祥瑞之兆。

⑤野莩（piǎo）：饿死的人。

⑥丰年玉，荒年谷：比喻可贵的人。因为丰年玉为贵，荒年谷为贵。

⑦薪如桂，食如玉：柴草的价格如桂树一样，食物的价格如玉一样。

⑧腾贵：物价上涨。

⑨春祈秋报：春耕的时候祭神，以祈求丰收；秋收的时候祭神，以回报神明的恩德。

⑩夜寐夙（sù）兴：夜深了才睡，天一亮就起。比喻辛勤劳苦。

⑪韶华：美好的青春年华。

⑫日月其除：日月流逝，不待人。

⑬待旦：等待天亮。

朝廷

【原文】

三皇[1]为皇，五帝[2]为帝。以德行仁者王[3]，以力假[4]仁者霸。天子，天下之主；诸侯，一国之君。官天下，乃以位让贤[5]；家天下，是以位传子。陛下[6]尊称天子；殿下尊重宗藩[7]。皇帝即位曰龙飞，人臣觐君曰虎拜[8]。皇帝之言，谓之纶音[9]；皇后之命，乃称懿旨[10]。椒房[11]是皇后所居，枫宸[12]乃人君所莅。天子尊崇，故称元首；臣邻辅翼，故曰股肱[13]。龙之种，麟之角，俱誉宗藩；君之储，国之贰[14]，皆称太子。

【注释】

①三皇：中国传说中古代的三位帝王，说法不一，一般认为是燧人氏、伏羲氏、神农氏。

②五帝：传中说的上古帝王，即黄帝、颛顼、帝喾、唐尧、虞舜。

③以德行仁：以道德行仁政。王（wàng）：用作动词，称王。

④假：凭借。

⑤让贤：让位给有才德的人。

⑥陛下：指帝王宫殿的台阶之下，引申为对帝王的尊称。

⑦殿下：宫殿台阶之下，引申为对帝后、帝妃、太子、公主，以及诸亲王的尊称。宗藩：受皇帝分封的宗室诸侯。

⑧觐（jìn）君：朝见君主。虎拜：典出于周宣王时的故事，当时大臣召穆公名虎，因平定淮夷的叛乱，立下大功，因此宣王赐给他

土地，召穆公稽首拜谢，后来大臣朝拜天子就称为虎拜。

⑨纶音：帝王的旨意。

⑩懿（yì）旨：古代称皇太后、皇后、皇妃，或公主的命令。

⑪椒房：本来是汉代皇后居住的宫殿名，用花椒和泥涂抹。后指后妃居住的宫殿。

⑫枫宸（chén）：汉代的宫廷里种植枫树，所以皇帝住的地方就叫枫宸。

⑬股肱（gōng）：大腿和胳膊，指辅佐之臣。

⑭国之贰：国君之副，即太子。

【原文】

帝子爰立青宫①，帝印乃是玉玺②。宗室之派，演于天潢③；帝胄④之谱，名为玉牒⑤。前星⑥耀彩，共祝太子以千秋⑦；嵩岳效灵⑧，三呼天子以万岁。神器⑨大宝，皆言帝位；妃嫔媵嫱⑩，总是宫娥。姜后脱簪而待罪⑪，世称哲后；马后练服以鸣俭⑫，共仰贤妃。唐放勋德配昊天，遂动华封之三祝⑬；汉太子恩覃少海，乃兴乐府⑭之四歌。

【注释】

①爰（yuán）：助词，无意义。青宫：太子所居的宫殿，又称东宫，代指太子。

②玺（xǐ）：印章。

③天潢（huáng）：皇族。

④帝胄（zhòu）：皇族。

⑤玉牒（dié）：记载皇族谱系、历数及政令因革的书。

⑥前星：星名，位于心宿，借指太子。

⑦千秋：古时称呼太子为“千岁”。

⑧嵩岳效灵：据《汉书·武帝纪》记载，汉武帝元封元年正月登上嵩山，当时随行的人都听到了三次高呼万岁的声音，于是认为是山神显灵。

⑨神器：可代表皇权的实物，如宝鼎、玉玺。

⑩妃嫔媵（yìng）嫱（qiáng）：对帝王妻妾宫女的不同称呼。妃，地位次于皇后。嫔，地位次于妃。媵，是对古代姬妾婢女的称呼。嫱，是古代宫廷里的女官。

⑪姜后脱簪而待罪：典出《列女传》。据传周宣王的姜皇后，因见宣王早睡晚起，耽误处理朝政，认为是自己的过错，于是摘下首饰，待罪永巷，周宣王因此醒悟，从此勤于政事。

⑫马后练服以鸣俭：典出《后汉书·皇后纪·明德马皇后》。据传汉明帝的马皇后非常贤良，她曾穿粗布衣服，不吃甜食，以自身的节俭来做天下的表率。

⑬“唐放勋”句：唐放勋即尧帝，《庄子·天地》记载，他曾到华封这个地方，当地人祝他长寿、富贵而多子。

⑭汉太子：指的是汉明帝。覃（qín）：延长。少海：渤海，用来指代太子。乐府：掌管音乐的官署。

文臣

【原文】

帝王有出震向离之象①，大臣有补天浴日②之功。三公上应三台③，郎官上应列宿④。宰相位居台铉⑤，吏部职掌铨衡⑥。吏部天官⑦大冢宰，户部地官⑧大司徒，礼部春官⑨大宗伯，兵部夏官⑩大司马，刑部秋官⑪大司寇，工部冬官⑫大司空。

【注释】

①出震向离之象：按《周易》八卦方位，震代表东方，离代表南方。这里象征帝王像太阳一样由东方升起，向南直到中天，普照万物。

②补天浴日：古代神话中有女娲炼五色石补天、羲和给太阳洗澡的传说。这里用来形容大臣挽回国家危局，功勋卓著。

③三公：一般指太师、太保、太傅。三台：星座名。

④郎官：帝王的侍从官。列宿（xiù）：二十八星宿。

⑤台铉（xuàn）：台鼎。台指朝廷。铉指鼎的两耳。鼎三足，象征三公。这里用来比喻股肱重臣。

⑥铨（quán）衡：度量的工具。引申为选拔人才。铨，衡量轻重。

⑦吏部天官：吏部总理百官，如苍天笼罩大地。

⑧户部地官：户部掌管土地和人口，如大地承载万物。

⑨礼部春官：礼部主管国家典章制度、教育、祭祀、科举、接待宾客等事务，如春天生长万物。

⑩兵部夏官：兵部掌管武官选用、军械、军令等事务，如炎炎烈日般震慑世人。

⑪刑部秋官：刑部掌管刑罚、诉讼、监狱等，如秋天一样肃杀。

⑫工部冬官：工部掌管各项工程、水利、屯田等，如冬天一样为以后打下基础。

【原文】

都宪中丞[1]，都御史[2]之号；内翰学士[3]，翰林院[4]之称。天使誉称行人[5]；司成尊称祭酒[6]。称都堂曰大抚台[7]，称巡按曰大柱史[8]。方伯、藩侯，左右布政[9]之号；宪台、廉宪，提刑按察[10]之称。宗师称为大文衡[11]，副使[12]称为大宪副。

【注释】

①都宪：古时官署名。中丞：汉代御史大夫下设两丞，一称御史丞，一称中丞。东汉以后便以中丞为御史台长官。

②都御史：古代专门行使监督职能的机构——都察院，其长官便是都御使。

③内翰：唐朝时称翰林为内翰。学士：官名。

④翰林院：古代以文学供奉朝廷的官署。

⑤天使：皇帝使臣。行人：官名，传达皇帝的旨意。

⑥司成：古时官名，主管贵族子弟教育。后世称国子监祭酒为大司成。祭酒：管理国子监的官员。

⑦都堂：明朝称呼都察院长官都御使、副都御使、佥都御史。大抚台：明代的巡抚兼任都察院的副都御使，故有此称。

⑧巡按：巡行按察的官员。大柱史：古代对巡按的尊称。

⑨方伯：原是古代诸侯领袖之称。藩侯：古代诸侯。布政：布

政使的简称。明朝左、右布政使是一省的最高行政官员。

⑩宪台：御史府等机构。廉宪：廉访使的俗称，进行监察。提刑按察：主管一省司法事务的提刑按察使。

⑪宗师：官名，主管训导宗师子弟。大文衡：指掌管一省教育的官员。

⑫副使：重要官员、使节的副手。

【原文】

郡侯、邦伯①，知府②名尊；郡丞、贰侯③，同知④誉美。郡宰、别驾⑤，乃称通判⑥；司理、廌史⑦，赞美推官⑧。刺史、州牧⑨，乃知州⑩之两号；廌史、台谏⑪，即知县之尊称。乡宦曰乡绅⑫，农官称田畯⑬。

【注释】

①郡侯：原是爵位名。邦伯：州牧。

②知府：府级行政单位的长官。

③郡丞：郡守的副手。贰侯：郡侯的副职。

④同知：知府的副手。

⑤郡宰：一郡的长官。别驾：汉代州刺史的辅佐之职，随刺史出巡可另乘车驾。

⑥通判：知府手下掌管田宅、水利、诉讼、粮食运输等的官员。

⑦司理：主管诉讼的官。廌（zhì）史：负责法治的官员。廌即獬豸（xiè zhì），传说中的异兽，善辨是非。

⑧推官：主管司法事务的官员。

⑨刺史、州牧：汉朝到唐朝对州一级最高长官的称呼。

⑩知州：管理一州军政事务的长官。

⑪台谏：唐宋时对言官的称呼。

⑫乡宦：退居乡里的官员。乡绅：乡里的官吏或读书人。

⑬田畯（jùn）：原指农神，后指主管农事的官员。

【原文】

钧座、台座[①]，皆称仕宦[②]；帐下、麾下[③]，并美武官。秩官[④]即分九品，命妇[⑤]亦有七阶。一品曰夫人，二品亦夫人，三品曰淑人，四品曰恭人，五品曰宜人，六品曰安人，七品曰孺人。妇人受封曰金花诰[⑥]，状元报捷曰紫泥封[⑦]。唐玄宗以金瓯覆宰相之名[⑧]，宋真宗以美珠箝谏臣之口[⑨]。金马玉堂[⑩]，羡翰林之声价；朱幡皂盖[⑪]，仰郡守之威仪。

【注释】

①钧座、台座：对尊者和上司的尊称。

②仕宦：这里指做官的人。

③帐下、麾（huī）下：古代的军事指挥官。帐，指军帐。麾，指军队的旗帜。

④秩官：常设的官吏。

⑤命妇：古时赐予诰命封号的妇女。

⑥金花诰：古时命妇接受册封时，诰命写在金花绫罗纸上。

⑦紫泥封：古代皇帝的诏令用锦囊装着，用紫泥封印，并加盖印章。

⑧唐玄宗以金瓯（ōu）覆宰相之名：典出《新唐书·崔琳传》。唐玄宗在任命宰相时，曾将写好的名字放在金盆下，让太子猜测。

⑨宋真宗以美珠箝（qián）谏臣之口：典出《宋史·王旦传》。宋真宗想要到泰山封禅，却怕宰相王旦反对，于是赐给他一壶酒，让他回家与妻儿享用，结果王旦发现里面装满珍珠，他便明白皇帝不让他反对封禅之事，于是他只好不再言语了。

⑩金马玉堂：汉代金马门是学士待诏之地，玉堂殿是待诏学士

议事之处。后为翰林院别称。

⑪朱幡（fān）皂盖：汉代郡守春日出行车骑的颜色，即红色旗帜和黑色车盖。

【原文】

台辅曰紫阁明公[①]，知府曰黄堂[②]太守。府尹之禄二千石[③]，太守之马五花骢[④]。代天巡狩[⑤]，赞称巡按；指日高升[⑥]，预贺官僚。初到任曰下车，告致仕曰解组[⑦]。藩垣屏翰[⑧]，方伯[⑨]犹古诸侯之国；墨绶铜章[⑩]，令尹即古子男[⑪]之邦。

【注释】

①台辅：三公宰相。紫阁：宰相府第。明公：对有名位者的尊称。

②黄堂：古时太守办公的正堂用雌黄涂墙，因此称太守为黄堂。

③府尹：掌管京城及其周边地区的长官。禄：俸禄、薪水。二千石（dàn）：十斗为一石，即月俸为一百二十斛粮食。石是计量单位。

④五花骢（cōng）：五马拉的车。骢，青白杂色的马。

⑤代天巡狩：代替天子出巡。

⑥指日高升：很快升官。

⑦致仕：官员退休。解组：解下官印，指不再做官。

⑧藩垣（yuán）：屏障。屏翰：指屏障辅翼。后来指国家重臣。

⑨方伯：地方官员。

⑩墨绶（shòu）铜章：黑色的带子系着铜质的印章。

⑪令尹：秦汉以来称呼县官为令尹。子男：五代爵位分五等，即公、侯、伯、子、男，子、男是最低的两等。

【原文】

太监掌阉门①之禁令，故曰阉宦；朝臣皆搢笏于绅间②，故曰搢绅。萧曹相汉高③，曾为刀笔吏④；汲黯相汉武⑤，真是社稷臣⑥。召伯⑦布文王之政，尝舍甘棠之下，后人思其遗爱，不忍伐其树；孔明有王佐之才，尝隐草庐之中，先主慕其令名，乃三顾其庐。

【注释】

①太监：宦官。阉门：即宫门。

②朝臣皆搢（jìn）笏（hù）于绅间：朝廷大臣都把笏插于衣带中间。笏，即大臣上朝时手持的狭长板子，用于记事。搢，插。绅，衣带。

③萧曹：汉朝的两位丞相萧何、曹参。汉高：汉高祖刘邦。

④刀笔吏：文书小吏。

⑤汲黯：汉武帝时有名的贤臣。汉武：汉武帝刘彻。

⑥社稷臣：能捍卫国家的重臣。

⑦召伯：指召公奭（shì），被封于召（今陕西岐山西南），体察民情，爱戴百姓，因曾在甘棠树下休息，所以百姓作《甘棠》诗来称颂他。

【原文】

鱼头参政①，鲁宗道秉性骨鲠②；伴食宰相③，卢怀慎居位无能。王德用④，人称黑王相公；赵清献⑤，世号铁面御史。汉刘宽责民，蒲鞭示辱⑥；项仲山洁己，饮马投钱⑦。李善感直言不讳，竞称鸣凤朝阳⑧；汉张纲弹劾无私，直斥豺狼当道⑨。民爱邓侯之政，挽之不留；人言谢令之贪，推之不去⑩。廉范守蜀郡，民歌五袴⑪；张堪守渔阳，麦穗两歧⑫。

【注释】

①鱼头参政：宋朝的参政知事鲁宗道，性格耿直，嫉恶如仇，被权贵们讥讽为“鱼头参政”（鲁字是鱼字头）。

②骨鲠：鱼骨头、鱼刺，形容人性格刚正、耿直。

③伴食宰相：唐玄宗时的宰相卢怀慎，自知才能不如另一位宰相姚崇，于是把所有的事务都推给姚崇打理，当时人们称他为“伴食宰相”。伴食，陪同吃饭。

④王德用：北宋名将，他英勇善战，治军有方，屡立战功，同时又宽厚仁爱，深受人们爱戴。因为他身材魁梧，面色黝黑，所以被称为黑王相公。

⑤赵清献：宋仁宗时的殿中侍御史赵抃（biàn），不畏权贵，铁面无私，被称为“铁面御史”。

⑥“汉刘宽”句：东汉人刘宽任南阳太守，为官宽厚，对有过错的百姓只是用蒲草的鞭子抽打，以使他感到羞耻而已。

⑦“项仲山”句：汉朝人项仲山，为人清廉，每次在渭河边饮马，都要投三文钱。后来就比喻为人清廉无私。

⑧“李善感”句：唐高宗时的监察御史李善感忠言敢谏。当时唐高宗想封禅五岳，李善感上书直谏。当时已经有二十年无人敢进谏言了，人们听到这件事，就认为像凤凰在清晨鸣叫一样，是大吉之兆。

⑨“汉张纲”句：东汉顺帝时的侍御史张纲，被皇帝派到外地巡视。结果他埋起车轮，愤然说道：“豺狼当道，安问狐狸！”于是返回弹劾专权不法的当朝权贵。

⑩“民爱邓侯”四句：《晋书·邓攸传》记载，邓攸任吴郡太守时，为官清廉，十分受百姓爱戴，他因病辞官时，百姓牵船不让他走，而前任太守谢令聚敛好财，人们便作歌：“邓侯留不住，谢令

推不去。”

⑪“廉范”句：东汉人廉范任蜀郡太守时，当地以前禁止晚上劳动，以防火灾，于是民众偷偷干活，结果火灾频发。廉范到任后，废除这一法令，严格要求家家户户蓄水防火。于是百姓唱道：“廉叔度，来何暮，不禁火，民安作。平生无襦今五袴。”襦，短衣。袴，同“裤”。

⑫“张堪”句：东汉人张堪担任渔阳太守时，新开稻田八千余顷，百姓耕作而富足，于是唱道：“桑无附枝，麦穗两歧，张君为政，乐不可支。”麦穗两歧，即一麦两穗，是丰收的兆头。

【原文】

鲁恭为中牟令，桑下有驯雉之异[①]；郭伋为并州守，儿童有竹马之迎[②]。鲜于子骏，宁非一路福星[③]；司马温公，真是万家生佛[④]。鸾凤不栖枳棘[⑤]，羡仇香之为主簿[⑥]；河阳遍种桃花，乃潘岳之为县官[⑦]。刘昆宰江陵，昔日反风灭火[⑧]；龚遂守渤海，令民卖刀买牛[⑨]。此皆德政可歌，是以令名攸著[⑩]。

【注释】

①“鲁恭”句：东汉人鲁恭任中牟令时，以德治理地方，蝗灾不入中牟县，连桑树下的雉鸡都非常驯服，人们认为他的仁德之政已感动鸟兽。

②“郭伋”句：东汉时的并州太守郭伋（jí）执政广布恩德，他先为王莽朝的官员，后来又被汉光武帝重新任命为并州太守，当他第二次到任时，当地的儿童骑着竹马在路旁迎接。

③“鲜于子骏”句：宋代人鲜于侁（shēn）（字子骏）在宋哲宗时担任京东路转运使，贤能清廉，体恤百姓，因此被司马光赞为“一路福星”。

④“司马温公”句：北宋大臣司马光（被封为温国公）恩德遍施，清正廉洁，被称为救苦救难的佛菩萨。

⑤鸾凤：鸾鸟与凤凰。喻贤俊之士。枳（zhǐ）棘：枳木和棘木，多刺。喻艰难的环境。

⑥仇香：即东汉人仇览。他在当蒲亭长时，贤德被百姓称颂，于是县令王涣召他为主簿，又认为这是大材小用，于是便拿出自己的俸禄供他去太学深造。

⑦“河阳”句：晋代人潘岳任河阳县令时，百姓有负债无法偿还的，他便令其种植一株桃树，并由官府代为还债。当潘岳离任时，河阳已遍地桃花，因此人称花县。

⑧“刘昆”句：汉代人刘昆任江陵县令时，当地时常发生火灾，每到这时，刘昆便向火叩头，祈求神灵，结果多能降雨，或者风转向。

⑨“龚遂”句：汉代人龚遂任渤海郡守时，当地发生饥荒，盗匪横行，于是他开仓放粮，奖励耕种。民间有带刀之人，他便劝其卖刀买牛，全力躬耕。

⑩令名：美好的声誉。攸著：著名。

武职

【原文】

韩柳欧苏[1]，固文人之最著；起翦颇牧[2]，乃武将之多奇。范仲淹胸中具数万甲兵[3]，楚项羽江东有八千子弟[4]。孙膑吴起[5]，将略堪夸；穰苴尉缭[6]，兵机莫测。姜太公有《六韬》[7]，黄石公有《三略》[8]。韩信[9]将兵，多多益善；毛遂[10]讥众，碌碌无奇。

【注释】

①韩柳欧苏：指唐代文学家韩愈、柳宗元，以及宋代文学家欧阳修、苏轼。

②起翦颇牧：指战国时秦国大将白起、王翦，赵国大将廉颇、李牧。

③范仲淹胸中具数万甲兵：北宋范仲淹任延州知州时，率兵抵抗西夏入侵，治军严谨，西夏人称他“胸中具数万甲兵”。

④楚项羽江东有八千子弟：秦末，楚国人项羽起兵反秦，率领家乡江东八千子弟渡江作战。

⑤孙膑：战国时期著名军事家，孙武的后代，著有《孙膑兵法》。吴起：战国时期著名军事家。

⑥穰苴（ráng jū）：即田穰苴，春秋齐景公时的大司马，著有《司马穰苴兵法》。尉缭：战国时著名的军事理论家。

⑦《六韬》：战国时有人托姜太公之名作的兵书。

⑧黄石公：曾授汉代开国功臣张良《太公兵法》。《三略》：兵书《三略》。

⑨韩信：汉初军事家，刘邦帐下大将，开国有功，被封为楚王。他自称率兵越多越好，所以有“韩信将兵，多多益善”之说。

⑩毛遂：战国时赵国平原君的门客。

【原文】

大将曰干城①，武士曰武弁②。都督③称为大镇国，总兵④称为大总戎。都阃⑤即是都司，参戎⑥即是参将。千户⑦有户侯之仰，百户⑧有百宰之称。以车为户曰辕门⑨，显揭战功曰露布⑩。下杀上谓之弑⑪，上伐下谓之征⑫。

【注释】

①干城：盾牌和城墙。后来指大将军。

②武弁（biàn）：武士戴的帽子，代指武士。弁，皮弁，用来做帽子。

③都督：古代军事长官。

④总兵：是总兵官的简称，掌管一镇军务。

⑤都阃（kǔn）：统兵的将帅。

⑥参戎：明清时的武官参将，位同副将，职位低于总兵、副总兵。

⑦千户：官名。元、明时期卫所的武官，统率千人。

⑧百户：隶属于千户，统领百人。

⑨辕门：用车围起的屏障，入口处两车，车辕相向。

⑩显揭：公布。露布：檄文、捷报等。

⑪弑（shì）：封建时代臣杀君，子杀父母等行为。

⑫征：指君对臣的征讨。

【原文】

交锋为对垒，求和曰求成。战胜而回，谓之凯旋；战败而走，谓之奔北①。为君泄恨曰敌忾②；为国救难曰勤王③。胆破心寒，比敌人慑服④之状；风声鹤唳⑤，惊士卒败北之魂。汉冯异⑥当论功，独立大树下，不夸己绩；汉文帝尝劳军，亲幸细柳营，按辔徐行⑦。苻坚⑧自夸将广，投鞭可以断流；毛遂自荐才奇，处囊便当脱颖⑨。

【注释】

①奔北：战败逃走。

②敌忾（kài）：抵抗愤恨的敌人。

③勤王：尽力于王事。后来指君王处于险境时，臣子起兵救援。

④慑（shè）服：因为惧怕而屈服。

⑤风声鹤唳（lì）：恐惧的样子。典出《晋书·谢玄传》。淝水之战中，前秦军与晋军交锋，结果败北。逃亡时，前秦士兵听到风声和鹤的鸣叫，以为是追兵，都非常恐惧。

⑥冯异：汉光武帝刘秀手下的大将。当大家都在谈论自己的战功时，只有他默默地退到大树下，因此被称为大树将军。

⑦“汉文帝”句：典出《史记·绛侯周勃世家》。汉文帝时，周亚军屯军细柳营，汉文帝前去慰问，结果没有军令而不能进营，于是文帝命令使节持节让将军开门。进营以后，规定不许快马奔驰，于是文帝握着缰绳缓缓而行。后来周亚夫仅以军礼相见。汉文帝对此赞赏有加，夸其军纪严明。

⑧苻（fú）坚：南北朝时期的前秦皇帝。他曾征百万大军攻打东晋。经过长江时吹嘘，自己的士兵把马鞭扔到水中，可使长江断流。

⑨处囊便当脱颖：锥子放在布口袋里便会露出锥子尖。比喻

怀才的人得到机会，就会显露才能。

【原文】

羞与哙等伍[①]，韩信降作淮阴；无面见江东[②]，项羽羞归故里。韩信受胯下之辱[③]，张良有进履之谦[④]。卫青为牧猪之奴，樊哙为屠狗之辈[⑤]。求士莫求全，毋以二卵弃干城之将；用人如用木，毋以寸朽弃连抱之材[⑥]。总之，君子之身，可大可小；丈夫之志，能屈能伸。自古英雄，难以枚举[⑦]；欲详将略，须读武经[⑧]。

【注释】

①羞与哙等伍：汉初大将韩信战功赫赫，先被封为楚王，后刘邦怕他有不臣之心，于是将其降为淮阴侯。一次他去樊哙那里，樊哙口称“臣子”相迎送，他向来看不起樊哙，于是说道：“我竟然与樊哙这样的人为伍！”

②无面见江东：项羽在与刘邦的争斗中失败，退走到乌江，乌江亭长停船等他过河，结果他觉得自己没有脸面见家乡父老，挥剑自刎。

③胯下之辱：韩信年轻时喜欢佩剑，一次有个屠夫羞辱他说：若你真不怕死，就用剑刺死我；如果怕死，就从我胯下钻进去。韩信不想白白送死，就从他胯下钻了过去。

④进履之谦：秦末，张良在一座桥上遇见一位老人，老人故意将鞋子扔到桥下，让他帮忙捡起，张良虽有不快，仍然把鞋子捡了起来，老人又让他给穿上，于是他跪下给老人穿好了鞋子。后来老人送给他一本书，并告诉他读完此书可以做帝王的老师，这位老人就是黄石公。

⑤屠狗之辈：杀狗的人。汉初将领樊哙发迹前以杀狗为业。

⑥“求士莫求全”四句：典出《孔丛子·居卫》。战国时，孔子

的孙子子思向卫侯推荐苟变为将军。卫侯却拒绝了子思，因为他听说苟变在做小吏时，收税的过程中吃了人家两个鸡蛋。子思后来说：“圣人用人，就好像木匠用木材。需要用他的长处，而不是短处。所以两人合抱的大树，即使有一寸的地方腐朽，好工匠也不会弃用它。”

⑦枚举：一一列举。

⑧武经：即《武经七书》，亦称《武学七书》，宋代官方颁行的武学书籍。收有《孙子兵法》《吴子兵法》《六韬》《司马法》《尉缭子》《三略》《李卫公问对》。

卷　二

祖孙父子

【原文】

何谓五伦①，君臣、父子、兄弟、夫妇、朋友；何谓九族②，高、曾、祖、考③、己身、子、孙、曾、玄。始祖曰鼻④祖，远孙曰耳孙⑤。父子创造，曰肯构肯堂⑥；父子俱贤，曰是父是子⑦。祖称王父，父曰严君。

【注释】

①五伦：五常，君臣、父子、夫妇、兄弟、朋友五种人际关系。

②九族：有亲缘关系的所有亲属。

③考：对亡父的尊称。

④鼻：始，开端。

⑤耳孙：古人称八世孙。也作“仍孙”，代指远代孙。

⑥肯构肯堂：形容子承父业。

⑦是父是子：有什么样的父亲就有什么样的儿子。

【原文】

父母俱存，谓之椿萱并茂①；子孙发达，谓之兰桂腾芳②。桥木高而仰，似父之道；梓木低而俯，如子之卑。不痴不聋，不作阿家阿翁③；得亲顺亲，方可为人为子。盖父愆④，名为干蛊⑤；育义子，乃曰螟蛉⑥。

【注释】

①椿（chūn）萱并茂：父母健康长寿。古人称父亲为椿庭，称母亲为萱堂。椿萱即父母。

②兰桂腾芳：芝兰和丹桂散发着芬芳，比喻子孙昌盛显达。兰桂，比喻子孙。

③阿家（gū）阿翁：指公公婆婆。阿家，丈夫的母亲。家，通“姑”。阿翁，丈夫的父亲。

④盖父愆（qiān）：弥补父亲的过失。

⑤干蛊（gǔ）：《周易》蛊卦爻辞中有“干父之蛊”，意为儿子能做好父亲不能做好的事。

⑥螟蛉（míng líng）：稻蛾的幼虫。蜾蠃蜂常捕食螟蛉的幼虫，古人误以为此行为蜾蠃是将螟蛉收为义子，因此将螟蛉作为义子的代称。

【原文】

生子当如孙仲谋①，曹操羡孙权之语；生子须如李亚子②，朱温叹存勖之词。菽水③承欢，贫士养亲之乐；义方是训④，父亲教子之严。绍箕裘⑤，子承父业；恢先绪⑥，子振家声。具庆下⑦，父母俱存；重庆下⑧，祖父俱在。燕翼诒谋⑨，乃称裕后⑩之祖；克绳祖武⑪，是称象贤之孙。称人有令子，曰麟趾⑫呈祥；称宦有贤郎，曰凤毛济美⑬。

【注释】

①生子当如孙仲谋：三国时，魏国和吴国交战，曹操看到孙权的军队整肃，于是叹道：“生子当如孙仲谋，刘景升（刘表）儿子若豚犬耳！”

②生子须如李亚子：五代后唐庄宗李存勖，小名亚子。他骁勇

善战，后梁太祖朱温叹道："生子当如李亚子，克用（李存勖之父）为不亡矣！至如吾儿，豚犬耳！"

③菽（shū）水：指豆子和水，饮食粗糙。形容生活贫苦。菽，豆类。

④义方是训：用规矩法度来教训。义方，多指家教。

⑤绍箕（jī）裘：子承父业。古人用箕裘来比喻父辈的事业。

⑥恢先绪：光大祖先的功业。

⑦具庆下：父母都健在的意思。古人填写个人履历时，父母俱在就写"具庆下"；若母亡父在写"严侍下"；父亡母在写"慈侍下"；父母俱亡则写"永感下"。

⑧重庆下：指祖父母、父母都健在。

⑨燕翼诒谋：像燕子用翅膀护着小燕那样，给子孙后代谋划好的出路。

⑩裕后：使后代富裕。

⑪克绳祖武：能继承祖先的事业。克，胜任。绳，继承。

⑫麟趾：麒麟脚趾，喻宗室贵族子弟。

⑬凤毛：凤凰的羽毛。济美：美上加美。

【原文】

弑父自立，隋杨广[①]之天性何存；杀子媚君，齐易牙[②]之人心何在。分甘以娱目[③]，王羲之弄孙自乐；问安惟点颔[④]，郭子仪厥孙最多[⑤]。和丸教子[⑥]，仲郢母之贤；戏彩娱亲[⑦]，老莱子之孝。毛义捧檄[⑧]，为亲之存；伯俞泣杖[⑨]，因母之老。

【注释】

①杨广：隋炀帝，据说他趁父亲隋文帝患病，将其毒死，自立为皇帝。

②易牙：战国时齐桓公的宠臣，善于烹饪，他曾将自己的儿子煮给齐桓公吃，从而得到重用。

③分甘以娱目：晋代大书法家王羲之带着自己的子孙出门游玩，一有甜的果子就分给他们吃，看儿孙们开心的样子，自己也非常高兴。

④点颔（hàn）：点头。

⑤厥孙最多：唐代大将郭子仪有七子八婿，孙子也有几十个，由于太多，他无法一一分辨，因此每次孙子问安时，他只是点头而已。

⑥和丸教子：唐代柳仲郢为了教育儿子勤奋读书，用熊胆、黄连等苦物和成丸子，让儿子在夜间读书时服用以提神。

⑦戏彩娱亲：春秋时楚国隐士老莱子非常孝顺，在他七十三岁时，为了逗父母高兴，还穿着五彩衣，学婴儿啼哭，假装跌倒等。

⑧毛义捧檄（xí）：东汉的毛义家贫，为人孝顺，虽不愿做官，但为了养活母亲，便接受官府檄书去做官，别人很瞧不起他。后来母亲一去世，他便辞官回家了。

⑨伯俞泣杖：汉代人韩伯俞非常孝顺，有一次他犯错后，母亲拿手杖打他，他失声痛哭。母亲很奇怪，便问他以前为何不哭。他答道："以前我犯错时，母亲常常打我，而且每次都很痛，此次母亲打我却没有痛意，我哭是因为知道母亲年高力衰啊！"

【原文】

慈母望子，倚门倚闾[①]；游子思亲，陟岵陟屺[②]。爱无差等，曰兄子如邻子[③]；分有相同，曰吾翁即若翁[④]。长男为主器[⑤]，令子可克家[⑥]。子光前曰充闾[⑦]，子过父曰跨灶[⑧]。宁馨英畏[⑨]，皆是羡人之儿；国器掌珠[⑩]，悉是称人之子。可爱者，子孙之多，若螽斯[⑪]之蛰蛰；堪羡者，后人之盛，如瓜瓞之绵绵[12]。

【注释】

①倚门倚闾（lǘ）：靠在大门或者巷口等待。比喻长辈对子女的盼望之情。

②陟岵陟屺（zhì hù zhì qǐ）：登上有草木的山瞻望父亲，登上无草木的山瞻望母亲。比喻游子思念父母。陟，向高处攀登。岵，有草木的山。屺，无草木的山。

③兄子如邻子：兄弟的儿子和邻居的儿子一样。

④吾翁即若翁：楚汉战争时，项羽抓到了刘邦的父亲，曾要挟刘邦要烹杀其父，结果刘邦说："我和你接受楚怀王的命令，结为兄弟，我的父亲就是你的父亲，你要烹杀咱们的父亲，就请分我一杯汤羹吧！"

⑤主器：古代国君长子掌管宗庙祭器，后代指长子或太子。

⑥令子：称人家的好儿子。克家：继承家业。

⑦充闾：喜气盈门。

⑧跨灶：骏马奔跑时，后蹄落在前蹄的印痕之前，即为跨灶。马前蹄的空处，名为"灶门"，形容儿子超过父亲。

⑨宁馨：即宁馨儿，意为"这样的孩子"，常用来赞美孩子或子弟。英畏：英俊可畏，指杰出的人物。

⑩国器：国家的栋梁之材。掌珠：掌上明珠，指疼爱的人。

⑪螽（zhōng）斯：一种虫，繁殖力强，善鸣。古人常用其比喻子孙众多。

⑫瓜瓞（dié）之绵绵：一根藤蔓上结了大大小小很多瓜。比喻子孙繁衍，绵绵不绝。瓞，小瓜。

兄弟

【原文】

天下无不是底[1]父母，世间最难得者兄弟。须贻同气[2]之光，无伤手足之雅。玉昆金友[3]，羡兄弟之俱贤；伯埙仲篪[4]，谓声气之相应。兄弟既翕[5]，谓之花萼[6]相辉；兄弟联芳[7]，谓之棠棣竞秀。患难相顾，似鹡鸰[8]之在原；手足分离，如雁行之折翼。

【注释】

①底：的。

②贻（yí）：给。同气：指兄弟受父母同样血气所生。

③玉昆金友：兄弟才德俱美。

④伯埙（xūn）仲篪（chí）：兄弟和睦。埙、篪，都是乐器。

⑤翕：和睦融洽。

⑥花萼：花蒂。花萼和棠棣都比喻兄弟。

⑦联芳：喻兄弟二人俱得功名。

⑧鹡鸰（jí líng）：一种鸟。《诗经·小雅·棠棣》中有“鹡鸰在原，兄弟急难”。后来用“鹡鸰”代指兄弟。

【原文】

元方、季方俱盛德，祖太丘称为难弟难兄[1]；宋郊、宋祁俱中元，当时人号为大宋小宋[2]。荀氏兄弟[3]，得八龙之佳誉；河东伯仲[4]，有三凤之美名。东征破斧[5]，周公大义灭亲；遇贼争死[6]，赵孝以身代弟。

【注释】

①祖太丘称为难弟难兄：汉代人陈寔（shí）担任太丘令，大儿子陈纪字元方，小儿子陈谌字季方。元方的儿子和季方的儿子争论谁的父亲更优秀，难分高下，于是去请陈寔裁决。陈寔说："论才学，元方难为兄，季方难为弟，难以分出高下优劣啊！"意思是他们两人难以分出谁是兄谁是弟。

②大宋小宋：北宋人宋郊、宋祁兄弟二人同时考中进士，传为佳话，人称大宋小宋。

③荀氏兄弟：东汉荀淑有八个儿子，都很有才学，被称为"八龙"。

④河东伯仲：唐朝河东人薛收和堂兄薛元敬、族兄薛德音都很有名，被称为"河东三凤"。

⑤东征破斧：《诗经》中有一篇《破斧》的诗，专门赞颂周公东征的功业。他大义灭亲，杀掉叛乱的弟弟管叔，把另一个弟弟蔡叔流放到偏远的地方。

⑥遇贼争死：东汉赵礼被强盗抓住，他的哥哥赵孝争着代替弟弟身死，强盗为他们兄弟的义行所感动，最终放了他们。

【原文】

煮豆燃萁①，谓其相害；斗粟尺布②，讥其不容。兄弟阋墙③，谓兄弟之斗狠；天生羽翼，谓兄弟之相亲。姜家大被④以同眠，宋君灼艾⑤而分痛。田氏分财⑥，忽瘁⑦庭前之荆树；夷齐让国，共采首阳之蕨薇⑧。虽曰安宁之日，不如友生；其实凡今之人，莫如兄弟。

【注释】

①煮豆燃萁（qí）：魏文帝曹丕曾命令同母弟弟曹植七步之内

作诗一首，否则就杀死他。于是曹植吟道：“煮豆燃豆萁，豆在釜中泣。本是同根生，相煎何太急。”曹丕听后很感动，就放过了他。

②斗粟尺布：汉文帝的弟弟淮南王刘长谋反失败，被流放到蜀郡，在路上绝食而死。民间流传出歌谣：“一尺布，尚可缝；一斗粟，尚可舂。兄弟二人不相容。”

③兄弟阋（xì）墙：指兄弟不和。阋，争吵，争斗。

④姜家大被：东汉姜肱兄弟三人孝顺友爱，虽然各自娶妻，仍常常盖一床大被睡觉。

⑤宋君灼艾：宋太祖赵匡胤的弟弟赵匡义生病，他亲自为其艾灸。当弟弟感到疼痛时，他也用艾叶灼烧自己的皮肤，以分担痛苦。

⑥田氏分财：典出《续齐谐志》。汉代的田真、田广、田庆三兄弟商议分家，第二天院中的荆树就枯萎了，于是他们决定不再分家，荆树又重新萌芽。

⑦瘁（cuì）：此处是枯萎之意。

⑧夷齐让国，共采首阳之蕨薇：伯夷、叔齐是商朝孤竹君的儿子。孤竹君死后，伯夷、叔齐为了让对方继承王位，都逃走了。后来周灭商，他们发誓不食用周朝的粮食，于是隐居首阳山，采食野菜，结果都饿死了。

夫妇

【原文】

孤阴则不生，独阳则不长，故天地配以阴阳；男以女为室，女以男为家[1]，故人生偶以夫妇。阴阳和而后雨泽降，夫妇和而后家道成。夫谓妻曰拙荆[2]，又曰内子；妻称夫曰藁砧[3]，又曰良人。贺人娶妻，曰荣偕伉俪[4]；留物与妻，曰归遗细君[5]。受室即是娶妻，纳宠[6]谓人娶妾。

【注释】

①室、家：古代夫妻之间互称。

②拙荆：古代丈夫称自己的妻子。荆，以荆当钗。

③藁砧（gǎo zhēn）：妇女称丈夫的隐语。

④荣偕伉俪（kàng lì）：夫妻幸福和谐。

⑤遗（wèi）：交给。细君：指妻子。

⑥纳宠：迎娶宠爱的人。

【原文】

正妻谓之嫡[1]，众妾谓之庶。称人妻曰尊夫人，称人妾曰如夫人。结发[2]系是初婚，续弦[3]乃是再娶。妇人重婚曰再醮[4]，男子无偶曰鳏居[5]。如鼓瑟琴，夫妻好合之谓；琴瑟不调，夫妇反目之词。牝鸡司晨[6]，比妇人之主事；河东狮吼[7]，讥男子之畏妻。杀妻求将[8]，吴起何其忍心；蒸梨出妻[9]，曾子善全孝道。张敞[10]为妻画眉，媚态可哂；董氏[11]为夫封发，贞节堪夸。

【注释】

①嫡：与“庶”相对。古代以正妻为嫡妻。正妻所生的儿子为嫡子。

②结发：古代的一种结婚礼仪，男女坐在一起男左女右共髻束发。后指初婚。

③续弦：古代用断弦比喻丧妻，续弦指再娶。

④醮（jiào）：古代婚礼时尊者给卑者酌酒的仪式，后来指女子嫁人。

⑤鳏（guān）居：丧妻而独自居住。

⑥牝（pìn）鸡司晨：母鸡报晓。牝，雌。比喻妇女专政。

⑦河东狮吼：妻子强悍而好嫉妒。河东，古代郡名。狮吼，佛家用语，威严之意。

⑧杀妻求将：战国时，齐王想要征讨鲁国，鲁国想任用吴起为将以抵御齐国，又担心吴起的妻子是齐人，于是吴起杀掉自己的妻子以表示和齐国再无瓜葛，取得了信任。

⑨蒸梨出妻：孔子的弟子曾参对后母很孝顺，因妻子给婆婆蒸梨不熟，于是他就把妻子给休了。

⑩张敞：西汉张敞担任京兆尹时，曾给妻子画眉，长安城里纷纷传说他画的眉毛样式很好看。

⑪董氏：唐朝人贾直言被贬南海，妻子董氏发誓守节不嫁人，于是将头发封包起来，约定只有丈夫回来才能打开。二十年后贾直言回来，董氏的头发仍然封包如故，等到解开头发，已经全部干枯，洗发时纷纷掉落。

【原文】

冀郤缺[①]夫妻相敬如宾；陈仲子[②]夫妇灌园食力。不弃槽糠，宋弘[③]回光武之语；举案齐眉，梁鸿配孟光之贤[④]。苏蕙织回文[⑤]，乐昌分破镜[⑥]，是夫妇之生离；张瞻炊臼梦[⑦]，庄子鼓盆歌[⑧]，是夫妇之死别。鲍宣之妻，提瓮出汲[⑨]，雅得顺从之道；齐御之妻，窥御激夫[⑩]，可称内助之贤。可怪者买臣之妻，因贫求去，不思覆水难收[⑪]；可丑者相如之妻，夤夜私奔[⑫]，但识丝桐[⑬]有意。要知身修而后家齐，夫义自然妇顺。

【注释】

①冀郤（xì）缺：春秋时晋国上卿，他的食邑在冀地，故称冀缺。冀，河北地区。

②陈仲子：战国时齐国人，他认为食万钟禄是不义之事，于是在听说楚王要他做官时，便携妻子逃走，为人浇园，自食其力。

③宋弘：东汉光武帝刘秀的大臣，刘秀想要将新寡的姐姐湖阳公主嫁给他，这样他必须休妻，于是，宋弘回答："贫贱之交不可忘，糟糠之妻不下堂。"宋弘婉拒皇帝的故事，一时传为佳话。

④梁鸿配孟光之贤：东汉隐士梁鸿博学多才，品德高尚。孟光又丑又黑，三十岁仍未嫁人。她父亲问她想嫁谁，孟光回答：想嫁给像梁鸿那样的人。梁鸿于是娶她为妻。为表示对丈夫的尊敬，每次吃饭时，孟光都用手把盛着饭菜的盘子举得和眉毛一样高，请梁鸿先吃。

⑤苏蕙织回文：前秦时的秦川刺史窦滔被放逐到流沙，他的妻子苏惠非常想念他，于是用五色线织成回文诗，寄给丈夫。

⑥乐昌分破镜：南朝陈灭亡时，乐昌公主与丈夫徐德言将铜镜一分为二，各执一半作为相认的标记，后来二人重逢，破镜重圆。

⑦张瞻炊臼梦：唐朝商人张瞻梦见用石臼做饭，就去问一位自称会解梦的王生。王生告诉他说，用石臼做饭是没有妇（釜）的预

示。张瞻回家时，妻子果然已去世。

⑧庄子鼓盆歌：庄子的妻子死了，惠子去吊唁，发现他正敲盆唱歌。

⑨提瓮（wèng）出汲（jí）：汉代人鲍宣的老师想将女儿桓少君嫁与他，鲍宣因自己比较穷困，所以拒绝，桓少君听后就穿上粗布衣服，出门去提水。瓮，瓦罐。汲，打水。

⑩窥御激夫：齐国相国晏子一次乘车外出，车夫的妻子看见丈夫赶车时扬扬得意，就激他说：相国身高不过六尺，却能官居高位，你身高八尺，只能做奴仆，这只是自甘贫贱罢了。车夫听后很羞惭，便渐渐谦虚起来，后来晏子推荐他做了大夫。

⑪覆水难收：东汉人朱买臣的妻子因他穷困潦倒而离去，后来见朱买臣做了大官，他的妻子又来要求复婚。朱买臣将一盆水倒到地上，说如果能全部收拾回来就答应她。

⑫夤夜私奔：西汉人卓文君新寡，前来家中赴宴的司马相如弹了一曲《凤求凰》向卓文君表达爱慕，于是卓文君便同司马相如深夜私奔。夤（yín）夜，深夜。

⑬丝桐：琴。

叔侄

【原文】

曰诸父，曰亚父[①]，皆叔父之辈；曰犹子[②]，曰比儿，俱侄儿之称。阿大中郎[③]，道韫雅称叔父；吾家龙文[④]，杨昱比美侄儿。

【注释】

①亚父：仅次于父亲的人。即父亲的兄弟。

②犹子：如同儿子。指侄子或侄女。

③阿大中郎：据《世说新语》记载，谢道韫嫁给了王羲之的儿子王凝之，但她很看不起自己的丈夫。叔叔谢安问她："王凝之品貌不错，你为什么还不满意呢？"谢道韫答道："我们谢家，叔父有阿大（谢安堂兄谢尚）、中郎（谢安二哥谢据）；兄弟有封（谢韶）、胡（谢朗）、羯（谢玄）、末（谢渊）。想不到竟然还有王郎这样的人。"

④吾家龙文：北齐的杨昱和别人谈论自己的侄子杨愔时说："已是吾家龙文，十岁后，当求之千里外。"龙文指骏马，后比喻才能出众的儿童。

【原文】

乌衣诸郎君[①]，江东称王谢之子弟；吾家千里驹，苻坚羡苻朗[②]为侄儿。竹林叔侄[③]之称，兰玉[④]子侄之誉。存侄弃儿[⑤]，悲伯道之无后；视叔犹父[⑥]羡公绰之居官。卢迈无儿，以侄而主身之后[⑦]；张范遇贼[⑧]，以子而代侄之生。

【注释】

①乌衣诸郎君：乌衣巷的子弟。东晋时王导、谢安两大望族都住在南京秦淮河南岸的乌衣巷。

②苻朗：字元达，前秦皇帝苻坚堂兄的儿子，苻坚曾夸奖他为千里驹。

③竹林叔侄：晋代“竹林七贤”中的阮咸、阮籍是叔侄。

④兰玉：指芝兰、玉树，形容优秀的人。

⑤存侄弃儿：晋代邓攸在战乱中丢了儿子救下侄儿。

⑥视叔犹父：唐代的柳公权在富贵之后像对待父亲般对待叔父。

⑦主身之后：唐代人卢迈再娶而无子，有人劝他纳妾，他说：“兄弟的儿子就像自己的儿子一样，可以托付自己的身后事。”

⑧张范遇贼：北朝的张范路遇贼人，儿子和侄儿都被绑架了，他请求用自己的儿子代替侄儿。强盗深受感动，将他的儿子和侄儿都放了。

师生

【原文】

马融[1]设绛帐，前授生徒，后列女乐；孔子居杏坛[2]，贤人七十，弟子三千。称教馆[3]曰设帐，又曰振铎[4]；谦教馆曰糊口，又曰舌耕。师曰西宾[5]，师席曰函丈[6]。学曰家塾，学俸曰束脩[7]。桃李在公门，称人弟子之多；苜蓿长阑干[8]，奉师饮食之薄。

【注释】

①马融：东汉人。曾经设立红色帷帐，前面讲学，后面设歌舞伎。

②杏坛：在今天山东曲阜孔庙的大成殿前，相传为孔子讲学的地方。

③教馆：这里指教师讲课。

④振铎：摇动铃铛。《尚书》记载，古代每年春天派人摇动铃铛一路上宣布政教法令，故用振铎指教育。

⑤西宾：古代主人坐在东面，老师坐在西面，故有此称。

⑥函丈：指讲学者与听讲者座席中间的距离。

⑦束脩（xiū）：给老师的薪水。脩，干肉。十条干肉为束脩。

⑧苜蓿长阑干：《唐摭言·闽中进士》记载，唐代开元年间东宫僚属薛令之作诗描写自己清苦的僚属生活，其中就有"苜蓿长阑干"一句，后用来形容读书人或教师的清苦生活。

【原文】

冰生于水而寒于水，比学生过于先生；青出于蓝而胜于蓝，谓弟子优于师傅。未得及门[1]，曰宫墙外望；称得秘授，曰衣钵真传。人称杨震[2]为关西夫子，世称贺循[3]为当世儒宗。负笈[4]千里，苏章[5]从师之殷；立雪程门，游杨[6]敬师之至。弟子称师之善教，曰如坐春风之中；学业感师之造成，曰仰沾时雨[7]之化。

【注释】

①未得及门：找不到入门的路径。

②杨震：汉代人，通晓经书。

③贺循：晋代人，博学多才。

④负笈（jí）：背着书箱，指游学外地。

⑤苏章：汉代人，曾不远千里求学。

⑥游杨：指宋代人游酢、杨时。二人去拜访大学者程颐，因其正在睡觉，于是他们便恭敬地在一旁等待，待程颐醒来，外面的雪已经下得有一尺厚了。

⑦时雨：指适合时令的雨水。

朋友宾主

【原文】

取善辅仁，皆资朋友；往来交际，迭为主宾[①]。尔我同心曰金兰[②]；朋友相资曰丽泽[③]。东家[④]曰东主，师傅曰西宾。父所交游，尊为父执[⑤]；己所共事，谓之同袍[⑥]。心志相孚为莫逆[⑦]，老幼相交曰忘年[⑧]。刎颈交[⑨]，相如与廉颇；总角好[⑩]，孙策与周瑜。

【注释】

①迭为主宾：互为宾客和主人。迭，交替，轮流。

②金兰：本来指与人志同道合，后引申为异姓兄弟或姐妹之间的结拜。

③丽泽：比喻朋友之间互相资助。

④东家：按照古人礼仪，待客时，需要主人坐东向西所以称东家或东主。宾客则坐西朝东。

⑤父执：父亲的朋友。执，至交好友。

⑥同袍：在同一个军队里服役的人彼此的称呼。

⑦心志相孚（fú）：心意相通，以诚相待。莫逆：比喻情投意合，交往密切。

⑧忘年：即忘年交，指两个年纪或辈分悬殊的人成为知心朋友。

⑨刎（wěn）颈交：可生死与共的朋友。战国时，赵国人蔺相如有功于国家，被赵王封为上卿。大将廉颇非常不服气，屡次挑衅，蔺相如一直忍耐，最终使得廉颇悔悟，于是二人决定共同为国效

力，并结为刎颈之交。

⑩总角好：比喻童年时代就是好朋友。总角，指童年时代。古代儿童将头发梳成两个小发髻，形状像角，故得名。东汉末年，孙策和周瑜从小关系就很好，后来周瑜辅助孙策开创了东吴政权。

【原文】

胶漆相投[①]，陈重之与雷义；鸡黍之约[②]，元伯之与巨卿。与善人交，如入芝兰之室[③]，久而不闻其香；与恶人交，如入鲍鱼之肆[④]，久而不闻其臭。肝胆相照，斯为腹心之友；意气不孚[⑤]，谓之口头之交。彼此不合，谓之参商[⑥]；尔我相仇，如同冰炭[⑦]。民之失德，干糇以愆[⑧]；他山之石，可以攻玉[⑨]。

【注释】

①胶漆相投：比喻情投意合，亲密无间。东汉人雷义和陈重年幼相交，后来陈重举孝廉，要让给雷义，太守没有答应。后来雷义举茂才，又要让给陈重，刺史没有答应。最后两人同举茂才，拜尚书郎，成为乡里佳话。

②鸡黍之约：比喻朋友间重承诺，有信义。典出《后汉书·范式传》。东汉人范巨卿与汝南张劭在太学读书时关系特别好，他们分别时，范巨卿与张劭约定两年后亲自去他家拜访，两年之期到时，张劭便杀鸡煮黍准备待客，他的母亲不相信千里之外的人能遵守两年前的约定，但张劭坚持范巨卿是守信之人，一定不会违约。后来范氏果然如期而至。

③芝兰之室：比喻贤士所居之处。

④鲍鱼之肆：比喻恶人聚集之所。鲍鱼，腌鱼。

⑤意气不孚：彼此志趣不同。不孚，不符合。

⑥参商：这里比喻彼此不和睦。

⑦冰炭：用冰和炭的不能相容来比喻人与人无法相交、相容。

⑧民之失德，干糇（hóu）以愆（qiān）：语出《诗经·小雅·伐木》，意思是说人与人之间如果没情分了，一块干粮这样的小事也会引来纠纷。干糇，干粮。愆，差错。

⑨他山之石，可以攻玉：语出《诗经·小雅·鹤鸣》，比喻别国之贤才可以辅佐本国。后来比喻能帮助自己改正缺点的朋友。

【原文】

落月屋梁[1]，相思颜色；暮云春树[2]，想望丰仪。王阳在位，贡禹弹冠[3]以待荐；杜伯非罪，左儒宁死不徇君[4]。分首判袂[5]，叙别之辞；拥彗扫门[6]，迎迓之敬。陆凯折梅逢驿使，聊寄江南一枝春；王维折柳赠行人，遂唱阳关三叠曲。频来无忌，乃云入幕之宾[7]；不请自来，谓之不速之客。

【注释】

①落月屋梁：比喻对朋友的怀念。唐代大诗人李白被流放到夜郎时，他的朋友杜甫写的《梦李白》一诗中有“落月屋满梁，犹疑照颜色”的诗句。颜色指面容。

②暮云春树：表达对远方朋友的思念。杜甫的《春日忆李白》中有“渭北春天树，江东日暮云”的诗句。

③王阳在位，贡禹弹冠：汉代人王阳与贡禹是好友，王阳出任益州刺史后，贡禹掸掉自己帽子上面的灰尘，等待王阳推荐自己。后来用“弹冠相庆”指一人当了官，同伙也因将做官而相互庆贺。多含有贬义。

④“杜伯”句：周宣王时，大夫杜伯无罪而被杀，他的朋友左儒据理力争，后也被害。

⑤分首：两人分开。判袂（mèi）：分开衣袖，也表示朋友离别。

⑥拥彗（huì）：拿起扫帚。古人迎接宾客时，常拿扫帚以示敬意。扫门：打扫门庭。

⑦入幕之宾：比喻关系亲近的人。

【原文】

醴酒不设[1]，楚王戊待士之意怠；投辖于井[2]，汉陈遵留客之心诚。蔡邕倒屣以迎宾[3]，周公握发而待士[4]。陈蕃器重徐稺，下榻相延[5]；孔子道遇程生，倾盖而语[6]。伯牙绝弦[7]失子期，更无知音之辈；管宁割席[8]拒华歆，谓非同志之人。分金多与[9]，鲍叔独知管仲之贫；绨袍垂爱[10]，须贾深怜范叔之窘。要知主宾联以情，须尽东南之美[11]；朋友合以义，当展切偲[12]之诚。

【注释】

①醴（lǐ）酒不设：比喻对别人的尊敬之情渐渐减少。典出《汉书·楚元王传》。西汉楚元王与穆生交好，元王每次设宴时，因穆生不爱喝酒，便特意为他准备甜酒。后来楚王戊继位，一次宴会上忘了为穆生准备甜酒，穆生认为这是关系冷淡的征兆，便离开了。醴酒，甜酒。

②投辖于井：比喻主人殷勤留客。典出《汉书·陈遵传》。汉朝人陈遵非常好客，每次宴请宾客，他都会关上门，取下客人车轴的辖投入井中，目的是不让客人走。

③倒屣（xǐ）以迎宾：形容热情地迎接客人。典出《三国志·魏志·王粲传》。汉朝名士蔡邕有地位、有才名，家中常常宾客满座。有一天，他宴请宾客时，突然得知才子王粲上门求见，于是慌忙拖着鞋子出门迎接，连鞋子都穿倒了。

④握发而待士：表示礼贤下士，求才若渴。典出《史记·鲁周公世家》。传说周公为了招揽天下贤士，在洗头发时听说客人来

了，握着头发也要出去迎接，以免对方觉得受到怠慢。

⑤下榻相延：典出《后汉书·徐稺传》。东汉陈蕃在做豫章太守时很器重隐士徐稺，他从不轻易和人交往，但听说徐稺到来时，便热情接待，而且还专门为他准备一个座榻，徐稺一走，就把座榻收起来。

⑥倾盖而语：形容朋友之间亲密交谈，一见如故。典出《孔子家语·致思》。孔子在郯国遇到程子，两人便停车，将车上的伞盖靠在一起。他们一见如故，交谈了很长时间。

⑦伯牙绝弦：形容没有知音的痛苦。据《列子·汤问》记载，俞伯牙善于弹琴，而他的琴音只有钟子期能够完全领会。子期死后，伯牙便摔了琴，认为世上再没有知音了。

⑧管宁割席：割席表示朋友绝交。据《世说新语·德行》记载，东汉末年，管宁与华歆同席读书。一次，有高车大马经过，管宁如初不动，继续读书，而华歆却跑出去看。于是管宁将席子割成两半，与华歆分开坐，以示绝交。

⑨分金多与：据《史记·管晏列传》记载，齐国人鲍叔牙与管仲曾经一起经商，由于管仲家里贫穷，鲍叔牙总是多分钱给他。

⑩绨（tí）袍垂爱：形容不忘贫寒时的朋友。据《史记·范雎蔡泽列传》记载，战国时的范雎曾遭受须贾的陷害毒打，后逃到了秦国，并受到秦王赏识，做了相国。须贾出使秦国时，范雎穿着破旧的衣服去见他，须贾见他如此落魄，便送他一件绨袍。第二天，须贾发现范雎已担任秦国相国，于是谢罪。范雎顾念须贾赠予绨袍之情，便宽释了他。

⑪尽东南之美：语出《滕王阁序》“宾主尽东南之美”。意思是说主人与客人都是东南地区杰出之人。

⑫切偲（sī）：朋友之间互相敬重、切磋与勉励。

婚姻

【原文】

良缘由夙缔[1]，佳偶自天成。蹇修与柯人[2]，皆是媒妁[3]之号；冰人与掌判[4]，悉是传言之人。礼须六礼[5]之周，好合二姓之好。女嫁曰于归[6]，男婚曰完娶。婚姻论财，夷虏之道[7]；同姓不婚[8]，《周礼》则然。女家受聘礼，谓之许缨[9]；新妇谒祖先，谓之庙见。文定[10]纳采，皆为行聘[11]之名；女嫁男婚，谓了子平之愿[12]。

【注释】

①夙（sù）缔：已经注定的。夙，早先。

②蹇（jiǎn）修：传说中伏羲氏的大臣，做过媒人，所以后来称媒人为“蹇修”。柯人：《诗经·豳风·伐柯》中有“伐柯如何，匪斧不克。取妻如何，匪媒不得”的句子，后来也称媒人为“柯人”。

③媒妁（shuò）：媒人。

④冰人：典出《晋书·艺术传》。索统善于占卜解梦，令狐策梦到自己站在冰面上和冰下的人说话，于是就去询问他。索统解说道：“冰上是阳，冰下则为阴，你在冰上与冰下人说话，预示着你要给别人做媒人。”后来果然如此，因此后人就称媒人为冰人。掌判：《周礼》中有“媒氏，掌万民之判”的说法。判就是半，意思是男女结为夫妻，才有了另一半。于是就把媒人称为“掌判”。

⑤六礼：旧时婚嫁的六个礼仪程序，即纳采、问名、纳言、纳徵、请期、亲迎。

⑥于归：女子出嫁。于，往。

⑦夷虏之道：古时指落后民族的愚昧、野蛮行为。

⑧同姓不婚：始于周代的婚姻禁忌。

⑨许缨：许婚的意思。

⑩文定：订婚。男方算好婚期后，将其写在婚帖上，然后准备礼物通知女方。

⑪行聘：下聘礼。

⑫子平之愿：东汉人向长，字子平，隐居。在女儿出嫁、儿子娶妻之后，他便游览五岳名山，再也没回家。

【原文】

聘仪曰雁币①，卜妻曰凤占②。成婚之日曰星期③，传命之人曰月老④。下采⑤即是纳币，合卺⑥系是交杯。执巾栉⑦，奉箕帚，皆女家自谦之词；娴姆训⑧，习《内则》⑨，皆男家称女之说。绿窗⑩是贫女之室，红楼⑪是富女之居。桃夭⑫谓婚姻之及时，摽梅⑬谓婚期之已过。

【注释】

①聘仪：下聘的礼物。雁币：古人认为大雁一生只有一位配偶，所以将雁作聘礼叫雁币，含祝福之意。

②凤占：占卜娶妻之卦。春秋时期，齐国大夫懿氏想把女儿嫁给陈敬仲，于是去占卜吉凶，结果得吉，是“凤凰于飞，和鸣铿锵”。

③星期：农历七月初七。民间传说牛郎织女在这一天相会。后来就把结婚这一天叫作星期。

④月老：民间传说中掌管人间婚姻的神仙。

⑤下采：即男方向女方下聘礼。

⑥合卺（jǐn）：婚姻仪式之一，即新人进洞房，新郎揭开新娘

盖头后同喝交杯酒。卺，酒器，结婚时用。

⑦执巾栉（zhì）：伺候丈夫沐浴梳头。

⑧娴姆训：熟悉妇道的学问。姆，古代专门教导未出嫁女子妇道的女教师。

⑨习《内则》：学习侍奉父母、舅姑的礼节。《内则》是《周礼》的一篇，多讲妇道。

⑩绿窗：指贫穷女孩住的房子。

⑪红楼：指富家女住的楼阁。

⑫桃夭：《诗经·周南·桃夭》篇有“桃之夭夭，灼灼其华。之子于归，宜其室家”的句子，形容女子出嫁及时。

⑬摽（biào）梅：《诗经·召南·摽有梅》篇有“摽有梅，其实七兮。求我庶士，迨其吉兮”的句子，写已过出嫁年龄的女子求嫁的心情。摽，落下。

【原文】

御沟题叶，于祐始得宫娥[①]；绣幕牵丝，元振幸获美女[②]。汉武与景帝论妇，欲将金屋贮娇[③]；韦固与月老论婚[④]，始知赤绳系足。朱陈[⑤]一村而结好，秦晋[⑥]两国以联姻。蓝田种玉[⑦]，雍伯之缘；宝窗选婿[⑧]，林甫之女。架鹊桥[⑨]以渡河，牛女相会；射雀屏[⑩]而中目，唐高得妻。至若[⑪]礼重亲迎，所以正人伦之始；《诗》首好逑[⑫]，所以崇王化之原[⑬]。

【注释】

①“御沟题叶”句：典出《青琐高议·流红集》。唐代人于祐曾在皇宫水渠中捡到一枚红叶，上有宫女题诗，于是他也题诗于上，然后让树叶漂回宫中，恰巧被题诗的宫女捡到。后来皇帝放宫女出嫁，于祐娶到的宫女正是与他红叶传诗的那位。

②“绣幕牵丝”句：指促成缔结婚姻。《开元天宝遗事》记载，唐代宰相张嘉贞想招荆州都督郭元振为婿，他让五个女儿每人手拿一条丝线在幕后，让郭元振选一根，牵到谁，谁便嫁给他。结果郭元振得到漂亮又聪明的三女儿。

③金屋贮娇：形容宠爱妻妾，也指娶妻或纳妾。汉武帝刘彻在很小的时候，其姑母馆陶长公主指着左右侍女让他挑一个做妻子，结果他一个没选。最后长公主笑着指自己的女儿阿娇问：“阿娇做你妻子好吗？”刘彻笑着说：“若得阿娇作妇，当作金屋贮之也。”后来，汉武帝果然娶了阿娇为皇后。

④韦固与月老论婚：传说唐朝人韦固年少时曾见月光之下有一老人席地而坐正在看书，旁边放一个装满红色绳子的大布袋。他很好奇，就前去询问，老人告诉他只要将这些红线系到男女双方的脚上，他们无论彼此什么身份都注定要成为夫妻。

⑤朱陈：古村的名字，村中只有陈姓和朱姓两族人，世代联姻。后来用“朱陈”代指两家结成姻亲。

⑥秦晋：春秋时，秦晋两国国君世代互为婚嫁。后来“秦晋之好”就代指联姻。

⑦蓝田种玉：典出《搜神记》。杨伯雍为人孝顺好义，于是有人送他一颗石头说，种下去不仅可得美玉，还有美妇。后来果然得到美璧无双，并用此作为聘礼娶到徐氏女子。蓝田，山名，在陕西省蓝田县东南。

⑧宝窗选婿：《开元天宝遗事》记载，李林甫特意在自己家的墙上开一个暗窗，以便每有弟子来拜见，他的六个女儿可以在窗下观看，自选女婿。

⑨鹊桥：喜鹊搭成的桥梁，以便牛郎和织女七月初七在银河相见。

⑩射雀屏：隋朝定州总管窦毅的女儿才貌出众，他为了给女儿选桩好婚事，在屏风上画了两只孔雀，约定谁能射中孔雀的眼睛，就把女儿嫁给他。结果李渊两箭各射中一目，便迎娶了窦氏女，便是后来的窦皇后。

⑪至若：至于。

⑫好逑（hǎo qiú）：美好的伴侣。

⑬王化之原：就是王道教化的根本。

女子

【原文】

男子禀乾之刚，女子配坤之顺。贤后称女中尧舜，烈女称女中丈夫。曰闺秀，曰淑媛，皆称贤女；曰阃范①，曰懿德②，并美佳人。妇主中馈③，烹治饮食之名；女子归宁，回家省亲之谓。何谓三从④，从父、从夫、从子；何谓四德，妇德、妇言、妇工、妇容。

【注释】

①阃（kǔn）范：妇女品德的楷模。阃，内室。

②懿德：美好的品德。懿，美。

③中馈（kuì）：妇女在家中主持饮食等杂务。馈，食物。

④三从：与四德都是封建社会对女性的道德规范。

【原文】

周家母仪①，太王有周姜，王季有太妊，文王有太姒；三代亡国，夏桀以妹喜，商纣以妲己，周幽以褒姒。兰蕙质，柳絮才②，皆女人之美誉；冰雪心③，柏舟操④，悉孀妇之清声。女貌娇娆，谓之尤物；妇容妖媚，实可倾城⑤。

【注释】

①母仪：古代皇后为国母，是妇人的仪表典范。

②柳絮才：形容女子文才。《世说新语·言语》记载，东晋谢安在一个下雪天，与子弟们讨论文章。他曾问道："下雪纷纷何所似？"侄儿谢朗说："撒盐空中差可拟。"侄女谢道韫说："未若柳

絮因风起。”谢安说：“柳絮才高不道盐。”

③冰雪心：形容心地纯洁。古代蒋顺怡有妻子周氏，蒋顺怡死后，公婆想让周氏改嫁，周氏作诗“瑶池故冰雪，为妾作心肝”，来表示自己守节的决心。

④柏舟操：古代女子表达自己不嫁的决心。

⑤倾城：本意是倾覆国家。后来指美貌佳人令人倾倒。

【原文】

潘妃①步朵朵莲花，小蛮②腰纤纤杨柳。张丽华③发光可鉴，吴绛仙④秀色可餐。丽娟⑤气馥如兰，呵气结成香雾；太真⑥泪红于血，滴时更结红冰。孟光⑦力大，石臼可擎；飞燕⑧身轻，掌上可舞。

【注释】

①潘妃：南齐东昏侯萧宝卷的妃子。萧宝卷曾经凿金为莲花，贴于地面，让潘妃在上面行走，称为步步生莲。

②小蛮：唐代诗人白居易的姬妾，善舞。白居易曾写诗：“樱桃樊素口，杨柳小蛮腰。”

③张丽华：南朝陈后主的妃子，相传她的头发又黑又长，光泽照人。

④吴绛仙：隋炀帝的妃子。

⑤丽娟：东汉光武帝的宫女，据说她呼气有兰花的香味。

⑥太真：杨贵妃。

⑦孟光：梁鸿的妻子。

⑧飞燕：赵飞燕，汉成帝的妃子。

【原文】

至若缇萦上书而救父①，卢氏冒刃而卫姑②，此女之孝者；侃母截发以延宾③，村媪杀鸡而谢客④，此女之贤者；韩玖英恐贼秽而自投于秽[5]，陈仲妻恐陨德而宁陨于崖[6]，此女之烈者；王凝[7]妻被牵，断臂投地；曹令女[8]誓志，引刀割鼻，此女之节者；曹大家续完汉帙[9]，徐惠妃援笔成文[10]，此女之才者；戴女之练裳竹笥[11]，孟光之荆钗裙布，此女之贫者；柳氏秃妃之发[12]，郭氏绝夫之嗣[13]，此女之妒者；贾女偷韩寿之香[14]，齐女致袄庙之毁[15]，此女之淫者；东施[16]效颦而可厌，无盐刻画以难堪，此女之丑者。

【注释】

①缇萦（tí yíng）上书而救父：汉文帝时，名医淳于意获罪，他的女儿缇萦上书文帝称自愿入宫当奴隶，以赎父亲的罪，汉文帝听到后很感动，于是放了淳于意。

②卢氏冒刃而卫姑：唐代郑义宗的妻子卢氏路遇强盗，临危不惧，一直保护着婆婆。

③侃母截发以延宾：晋代陶侃少年家贫，有一次家里要招待贵客，他的母亲便剪掉头发换钱来招待客人。

④村媪（ǎo）杀鸡而谢客：传说一次汉武帝微服出巡，到柏谷村时，人们以为他是盗贼，亭长不接纳，旅店也拒绝他，最后村中有一个老妇没有怀疑他，而是热情地接待了他，并杀鸡款待以代村民表示歉意。村媪，村妇。

⑤韩玖英恐贼秽而自投于秽：唐代韩仲成的女儿韩玖英遇到强盗，害怕被抓受辱，就跳入粪坑中弄脏自己，强盗最终放过了她。

⑥陈仲妻恐陨（yǔn）德而宁陨于崖：唐代人陈仲的妻子路遇强盗，害怕受辱，就跳崖而死。

⑦王凝：五代人。王凝做官时死在了官署，他的妻子带着灵柩

回原籍安葬，半路投宿时，店主不接纳他们，并抓着她的胳膊赶她走，结果她用斧头自断手臂。

⑧曹令女：夏侯文宁之女，名令，嫁给曹文叔，后来曹文叔去世，她的父亲接她回家，并劝其改嫁，她则用刀割鼻以示自己决不再嫁。

⑨曹大家（gū）续完汉帙（zhì）：即班昭，东汉史学家，班固的妹妹。嫁给了曹世叔，早寡，完成了班固的遗作《汉书》。

⑩徐惠妃援笔成文：唐代徐孝德的女儿，名惠，天资聪颖，提笔成文，后为唐太宗赏识，封为妃子，死后赠贤妃。

⑪戴女之练裳竹笥（sì）：东汉隐士戴良的女儿们都非常贤惠，她们出嫁，戴良给她们的嫁妆只是白布衣服和竹箱。笥，盛饭或装衣服的竹器，方形。

⑫柳氏秃妃之发：唐代宗曾赐给任瑰两个貌美如花的女人，而任瑰的妻子柳氏天性善妒，想要将这两个女子的头发剃光，皇帝无法，于是让这两名美人另室而居。

⑬郭氏绝夫之嗣：晋代贾充的妻子郭氏因贾充常到乳母处看望儿子，郭氏以为贾充与乳母有私情，就杀了乳母，结果孩子因思念乳母而死。

⑭贾女偷韩寿之香：晋代贾充的女儿将皇帝赐给贾充的香偷偷地送给了韩寿，与他私通，后来被贾充发现，于是将女儿嫁给了韩寿。

⑮齐女致祆（xiān）庙之毁：北齐有位公主由乳母陈氏抚养，儿时常与乳母的儿子一起玩耍。长大后，陈氏的儿子不便进宫，于是他们相约在祆庙中相会。陈氏的儿子先到，结果睡着了，公主来后看到这个场景，便将小时候两人同玩的玉丢在了他身上。陈氏的儿子醒来后，非常愤怒，一把火烧了祆教的庙宇。

⑯东施：与下面的“无盐”都是古代丑女。

【原文】

自古贞淫各异，人生妍[1]丑不齐。是故生菩萨、九子母、鸠盘荼[2]，谓妇态之更变可畏；钱树子、一点红、无廉耻[3]，谓青楼之妓女殊名。此固不列于人群，亦可附之以博笑。

【注释】

①妍：美丽。

②生菩萨、九子母、鸠盘荼：典出《唐语林》。相传唐代裴炎曾说：“妻子有三个阶段，年轻时如活菩萨，中年儿女满堂如九子母，老年面貌或青或黑，如鸠盘荼。”

③钱树子、一点红、无廉耻：都是对妓女的不同称呼。

外戚

【原文】

帝女乃公侯[①]主婚，故有公主之称；帝婿非正驾之车，乃是驸马[②]之职。郡主、县君[③]，皆宗女之谓；仪宾、国宾[④]，皆宗婿之称。旧好曰通家[⑤]，好亲曰懿戚[⑥]。冰清玉润，丈人女婿同荣；泰水泰山[⑦]，岳母岳父两号。新婿曰娇客[⑧]，贵婿日乘龙[⑨]。赘婿[⑩]曰馆甥，贤婿曰快婿[⑪]。凡属东床[⑫]，俱称半子[⑬]。

【注释】

①公侯：公爵与侯爵，皇帝的同宗。

②驸马：原是管理副驾之车的官，三国时魏国公主的夫君何晏曾担任驸马都尉，后来就专指皇帝的女婿。

③郡主：唐、宋太子的女儿称郡主，亲王的女儿称县主。明、清亲王之女称郡主，郡王的女儿称郡主。县君：明、清宗室女儿的称号，比郡主、县主低一级。

④仪宾、国宾：指与天子同姓诸侯的女婿。

⑤通家：彼此交情深厚，世代交好。

⑥懿戚：指皇亲国戚。懿，美好。

⑦泰水泰山：据说泰山上有丈人峰，又有泰水依山而流，所以称岳父、岳母为泰山、泰水。

⑧娇客：对女婿的爱称。

⑨乘龙：乘龙快婿，指前程远大的女婿。

⑩赘婿：即招女婿，就婚于女家的男子。

⑪快婿：称心如意的女婿。

⑫东床：代指女婿。晋代太尉郗鉴让人到王导家去挑女婿，王导让他到东厢去挑选。这人回去报告说："王家少年个个都不错，只是有一个人躺在东床上，露着肚子，吃着胡饼，像没这回事似的。"郗鉴说："这就是我的女婿啊！"派人去查后，才知东边床上的那个人就是王羲之。

⑬半子：女婿。

【原文】

女子号门楣①，唐贵妃有光于父母；外甥称宅相②，晋魏舒期报于母家。共叙旧姻，曰原有瓜葛③之亲；自谦劣戚，曰忝在葭莩之末④。大乔小乔⑤，皆姨夫之号；连襟连袂⑥，亦姨夫之称。蒹葭依玉树⑦，自谦借戚属之光；茑萝施乔松⑧，自幸得依附之所。

【注释】

①门楣：门框上的横木。代指门第。

②宅相：住宅的风水。

③瓜葛：瓜藤。比喻亲戚关系。

④忝（tiǎn）在葭莩（fú）之末：不好意思地列为远亲之末。忝，有愧，自谦之词。葭莩，芦苇里的薄膜。

⑤大乔小乔：三国时乔公的两个女儿，合称二乔。嫁给孙策的是大乔，嫁给周瑜的是小乔。

⑥连襟（jīn）连袂：姊妹丈夫的互称或合称。

⑦蒹葭依玉树：芦苇依靠着槐树。比喻两人才貌差距很大。

⑧茑萝施乔松：茑草与女萝依附于松树上，比喻关系亲密。

老幼寿诞

【原文】

不凡之子，必异其生；大德之人，必得其寿。称人生日，曰初度①之辰；贺人逢旬②，曰生申令旦③。三朝洗儿④，曰汤饼之会；周岁试周，曰晬盘⑤之期。男生辰曰悬弧⑥令旦，女生辰曰设帨⑦佳辰。贺人生子，曰嵩岳降神⑧；自谦生女，曰缓急非益⑨。生子曰弄璋⑩，生女曰弄瓦⑪。

【注释】

①初度：刚出生的时候，后指生日。

②逢旬：逢十的生日。旬，十日或十年。这里指十年。

③生申令旦：像周代贤臣申伯降生时那样的好日子。

④三朝洗儿：旧时习俗，婴儿出生的第三天要洗身，并用汤饼招待亲友。

⑤晬（zuì）盘：孩子满一岁那天举行的抓周仪式。

⑥悬弧：古时风俗，如果生了男孩要在家门的左边悬挂一张弓，后用悬弧指生男。

⑦设帨（shuì）：古时风俗，如果生了女孩就在门的右边挂一块佩巾。

⑧嵩岳降神：天神降临嵩山。

⑨缓急非益：危急时没什么用。汉代的淳于意生了五个女儿，他曾说过“生女缓急非益”的话。

⑩弄璋：古代生儿子让他玩玉。生男孩的代称。

⑪弄瓦：生女儿让她玩纺锤（即瓦），生女孩的代称。

【原文】

梦熊梦罴[①]，男子之兆；梦虺梦蛇[②]，女子之祥。梦兰叶吉[③]，郑文公妾生穆公之奇；英物称奇，温峤闻声知桓温之异[④]。姜嫄生稷，履大人之迹而有娠[⑤]；简狄生契[⑥]，吞玄鸟之卵而叶孕。麟吐玉书[⑦]，天生孔子之瑞；玉燕投怀[⑧]，梦孕张说之奇。弗陵太子[⑨]，怀胎十四月而始生；老子道君[⑩]，在孕八十一年而始诞。晚年得子，谓之老蚌生珠[⑪]；暮岁登科[⑫]，正是龙头[⑬]属老。

【注释】

①梦熊梦罴（pí）：梦见熊和罴，古人认为这两种动物都属阳，是生男孩的征兆。

②梦虺（huǐ）梦蛇：梦见虺和蛇，古人认为这两种动物都属阴，是生女孩的兆头。

③梦兰叶（yò）吉：梦见兰草是吉祥的兆头，古时称女人怀孕是梦兰。

④温峤闻声知桓温之异：相传晋代桓温还未满一岁时，温峤听见他的哭声，就称赞他日这个孩子必然是英雄人物。

⑤“姜嫄生稷”句：稷即后稷。传说帝喾的妻子姜嫄踩了一个巨人的脚印后生下后稷。后稷是古代周族的始祖，名弃。

⑥简狄生契：相传简狄等人在外面洗澡，简狄吞下一枚燕子蛋后，怀孕生下了契。契是舜的大臣，商的始祖。

⑦麟吐玉书：传说孔子出生前，有麒麟在孔子的住处吐出玉书。

⑧玉燕投怀：唐代文学家张说的母亲在生他之前，梦见一只玉燕投入怀中。

⑨弗陵太子：刘弗陵是汉武帝的太子，他的母亲婕妤钩弋夫人怀了十四个月才生出他。

⑩老子道君：传说老子的母亲怀孕八十一年，才从左边腋窝生下他，一出生他的头发就是白的。

⑪老蚌生珠：比喻老年得子。

⑫暮岁登科：暮年考取进士。

⑬龙头：就是考取状元，这是进士考试的第一名。

【原文】

贺男寿曰南极星辉[①]，贺女寿曰中天婺焕[②]。松柏节操[③]，美其寿元[④]之耐久；桑榆晚景[⑤]，自谦老景之无多。矍铄[⑥]称人康健，瞶眊[⑦]自谦衰颓。黄发儿齿[⑧]，有寿之征；龙钟潦倒，年高之状。日月逾迈[⑨]，徒自伤悲；春秋几何[⑩]，问人寿算。称少年曰春秋鼎盛[⑪]，羡高年曰齿德俱尊[⑫]。

【注释】

①南极星辉：寿星，在南面，又称南极星，或老人星。

②中天婺（wù）焕：婺女星闪闪发光。指贺女寿。婺，即女宿，二十八宿之一。

③松柏节操：松树与柏树的节操。松柏经冬不凋，用来比喻长寿。

④寿元：寿命。

⑤桑榆晚景：指落日余光在桑树和榆树上的投影。比喻老年。

⑥矍铄（jué shuò）：老人精神旺盛的样子。

⑦瞶眊（kuì mào）：耳聋眼花。

⑧黄发儿齿：黄发指老人头发白了之后又变黄，儿齿指老年人牙齿掉了之后长出小儿一样的牙齿。

⑨日月逾迈：日月运行，时光流逝。

⑩春秋几何：年纪多少。春秋，指年龄。

⑪春秋鼎盛：年富力强。

⑫齿德俱尊：年龄和品德都非常值得尊敬。

【原文】

行年五十，当知四十九年之非；在世百年，那有三万六千日之乐。百岁曰上寿，八十曰中寿，六十曰下寿；八十曰耋[①]，九十曰耄[②]，百岁曰期颐。童子十岁就外傅[③]，十三舞勺[④]，成童舞象[⑤]；老者六十杖于乡，七十杖于国，八十杖于朝。后生固为可畏，而高年尤是当尊。

【注释】

①耋（dié）：七八十岁。

②耄（mào）：八九十岁。

③就外傅：到外面去求学。

④舞勺：古代儿童所学的一种文舞。勺，乐器。

⑤舞象：古代少年所学的一种武舞。

身体

【原文】

百体[①]皆血肉之躯，五官[②]有贵贱之别。尧眉分八彩[③]，舜目有重瞳[④]。耳有三漏[⑤]，大禹之奇形；臂有四肘，成汤之异体。文王龙颜[⑥]而虎眉，汉高斗胸而隆准[⑦]。孔圣之顶若圩[⑧]，文王之胸四乳。周公反握[⑨]，作兴周之相；重耳骈胁[⑩]，为霸晋之君。此皆古圣之英姿，不凡之贵品。

【注释】

①百体：指身体的各个器官。

②五官：指眼、耳、鼻、身、口，现在一般指脸部器官。

③尧眉分八彩：相传尧的眉毛有八种颜色，是帝王之相。

④舜目有重瞳：传说舜的眼中有两颗瞳仁，是帝王之相。

⑤耳有三漏：耳朵有三个耳孔。

⑥龙颜：眉骨突起。常用指帝王的相貌。

⑦斗胸：胸部隆起。隆准：高鼻梁。

⑧圩（wéi）：本来指洼地四周的田埂。这里指人头顶中间低四周高。

⑨反握：手很柔软，可以握住连接的手腕。

⑩骈胁：胁骨紧密连接在一起。

【原文】

至若发肤不可毁伤，曾子常以守身为大[①]；待人须当量大，师德贵于唾面自干[②]。谗口[③]中伤，金可铄而骨可销[4]；虐政诛求[5]，敲其肤而吸其髓[6]。受人牵制曰掣肘[7]，不知羞愧曰厚颜。好生议论，曰摇唇鼓舌；共话衷肠，曰促膝谈心。怒发冲冠，蔺相如[8]之英气勃勃；炙手可热，唐崔铉之贵势炎炎[9]。貌虽瘦而天下肥，唐玄宗之自谓；口有蜜而腹有剑，李林甫[10]之为人。赵子龙[11]一身都是胆，周灵王[12]初生便有须。

【注释】

①守身为大：爱护自己的身体，是尽孝的开始。

②唾面自干：形容受了侮辱，极度容忍。唐朝时娄师德很受武则天赏识，因此招来嫉妒。但他认为人应该宽宏大量，就算被人唾在脸上，也应该让唾沫自干，才能消除别人的愤怒。

③谗口：说人坏话的嘴巴。

④金可铄（shuò）而骨可销：可熔化金属，销蚀肌骨。形容舆论力量之大。

⑤诛求：苛求。

⑥敲其肤而吸其髓：敲碎骨头吸骨髓。形容对百姓的压迫非常残酷。

⑦掣（chè）肘：拉住别人的胳膊。形容阻挠别人。

⑧蔺相如：战国时赵国人，出使秦国时，怒斥秦王不守信用，头发都竖了起来，将帽子顶起。

⑨唐崔铉（xuàn）之贵势炎炎：唐朝宰相崔铉权势很大，时人称他是炙手可热。贵势炎炎，指贵族权势非常煊赫。

⑩李林甫：唐朝宰相，为人阴险狡猾，嘴上说--套背后做一套，时人称他是口蜜腹剑。

⑪赵子龙：即三国赵云。曹操攻取荆州，刘备败走。赵云为救刘备夫人甘氏和刘备儿子刘禅，率十几人在曹操百万大军中奔走，

刘备称赞其“一身是胆”。

⑫周灵王：周简王之子，姓姬，名泄心。传说他出生时就有胡子。

【原文】

来俊臣[1]注醋于囚鼻，法外行凶；严子陵[2]加足于帝腹，忘其尊贵。久不屈兹膝，郭子仪[3]尊居宰相；不为米折腰，陶渊明不拜吏胥。断送老头皮，杨璞[4]得妻送之诗；新剥鸡头肉[5]，明皇爱贵妃之乳。纤指如春笋，媚眼若秋波。肩曰玉楼，眼名银海；泪曰玉箸[6]，顶曰珠庭。歇担曰息肩，不服曰强项[7]。

【注释】

①来俊臣：唐武则天时有名的酷吏，他大兴刑狱，使用各种酷刑逼人招供。

②严子陵：东汉人，名严光，字子陵，与刘秀是非常要好的朋友。刘秀做皇帝后，严子陵隐居山间，不愿做官。一次刘秀召严子陵入朝叙旧，他们促膝长谈，共卧一榻，严子陵酣睡中将脚放到了刘秀的肚子上。

③郭子仪：唐代大臣，曾在平定安史之乱中立下大功。

④杨璞：北宋隐士，宋真宗曾将他召到京城，但他不愿为官，在回答宋真宗问话时，称临走前他的妻子曾写诗给他说：“更休落魄耽杯酒，且莫猖狂爱咏诗。今日捉将官里去，这回断送老头皮。”宋真宗听后哈哈大笑，最终放他回家。

⑤鸡头肉：刚剥开的芡实。这里形容人的乳房。

⑥玉箸（zhù）：玉做的筷子，古人常用其指代眼泪。

⑦强项：脖子强硬。比喻性格刚正，不向人低头。

【原文】

丁谓与人拂须[1]，何其谄也；彭乐截肠决战[2]，不亦勇乎。剜肉医疮，权济目前之急；伤胸扪足[3]，计安众士之心。汉张良蹑足附耳[4]，东方朔洗髓伐毛[5]。尹继伦[6]，契丹称为黑面大王；傅尧俞[7]，宋后称为金玉君子。土木形骸[8]，不自妆饰；铁石心肠，秉性坚刚。叙会晤曰得挹芝眉[9]，叙契阔曰久违颜范[10]。请女客曰奉迓金莲[11]，邀亲友曰敢攀玉趾。

【注释】

①丁谓与人拂须：北宋大臣丁谓为人狡黠，非常善于揣摩人意。寇准任宰相时，把他提拔起来。所以，丁谓对寇准非常尊敬。一次他们同桌吃饭时，有汤落在寇准的胡须上，丁谓马上为他擦掉。寇准笑着对他说："参政，国之大臣，乃为长官拂须耶？"丁谓听后非常羞愧，心生怨恨。

②彭乐截肠决战：南北朝时著名将领彭乐率东魏军与宇文泰的西魏军作战时，被敌刺伤后肠子流出，他将肠子截断后继续杀敌。

③伤胸扪（mén）足：楚汉争霸时，刘邦与项羽在阵前对峙，项羽一箭射中刘邦胸部。为安定军心，刘邦捂住脚说项羽只射中了自己的脚趾。

④蹑（niè）足附耳：踩脚示意，附耳说话。韩信攻下齐国后，想为齐代王，于是写信给刘邦。当时正被项羽围困的刘邦见信大怒，想要斥责使者，张良踩了踩刘邦的脚，并小声分析利害，刘邦于是封韩信为齐王。

⑤洗髓伐毛：传说汉代的东方朔曾遇见一位黄眉老翁，老翁自称已有九千岁，每三千年洗一次骨髓，每两千年拔毛剥皮一次。

⑥尹继伦：北宋大将，与契丹作战，经常取胜。因其面目黝黑，契丹人称他为“黑面大王”。

⑦傅尧俞：北宋大臣，刚正无私，直言朝政，被称为“金玉君子”。

⑧土木形骸：形容身体像土木一样。

⑨得挹（yì）芝眉：能见到对方的容颜。典出《新唐书·元德秀传》。唐代隐士元德秀，字紫芝，风姿俊逸，宰相房琯每次见他都赞赏道：“见紫芝眉宇，使人名利之心荡然无存。”

⑩契阔：久别不相见。颜范：容颜可以作人的模范。

⑪奉迓（yà）：迎接。金莲：古时女子裹的小脚。

【原文】

侏儒谓人身矮，魁梧称人貌奇。龙章凤姿①，廊庙之彦②；獐头鼠目，草野之夫。恐惧过甚，曰畏首畏尾；感佩不忘，曰刻骨铭心。貌丑曰不扬，貌美曰冠玉。足跛曰蹒跚③，耳聋曰重听。期期艾艾④，口讷⑤之称；喋喋便便⑥，言多之状。可嘉者小心翼翼，可鄙者大言不惭⑦。

【注释】

①龙章凤姿：如龙凤一样的神采丰姿。

②廊庙之彦：朝廷中的杰出人才。

③蹒跚（pán shān）：腿脚不好，走路一瘸一拐。

④期期艾艾：口吃结巴。

⑤口讷（nè）：说话迟钝。

⑥喋（dié）喋便（pián）便：不停地说话。

⑦大言不惭：说大话而不难为情。

【原文】

腰细曰柳腰，身小曰鸡肋。笑人齿缺，曰狗窦[①]大开；讥人不决，曰鼠首偾事[②]。口中雌黄[③]，言事而多改移；皮里春秋[④]，胸中自有褒贬。唇亡齿寒，谓彼此之失依；足上首下，谓尊卑之颠倒。所为得意，曰吐气扬眉；待人诚心，曰推心置腹。心荒曰灵台[⑤]乱，醉倒曰玉山[⑥]颓。睡曰黑甜，卧曰息偃[⑦]。

【注释】

①狗窦：狗洞。

②偾（fèn）事：把事情搞砸。

③口中雌黄：随口更改自己的话。形容言语前后矛盾。雌黄，即鸡冠石，黄赤色，过去人们写字用黄纸，写错了的就用雌黄涂抹，然后重写。

④皮里春秋：指深藏心里不说出来的评论。典出《晋书·褚裒（póu）传》。晋代名士褚裒，虽然不随便表露自己的好恶，心中却存有褒贬，桓彝说他“有皮里春秋”。春秋，孔子在编《春秋》时，不肯直接褒贬历史人物和事件，而是寓意于行文中，后人称这种写法为“春秋笔法”。

⑤灵台：指心，心灵。

⑥玉山：形容美好的品德仪容。

⑦偃（yǎn）：倒下。

【原文】

口尚乳臭[①]，谓世人年少无知；三折其肱[②]，谓医士老成谙练。西子捧心，愈见增妍；丑妇效颦[③]，弄巧反拙。慧眼始知道骨，肉眼不识贤人。婢膝奴颜，谄容可厌；胁肩[④]谄笑，媚态难堪。忠臣披肝[⑤]，为君之药；妇人长舌，为厉之阶[6]。事遂心曰如愿，事可愧曰汗颜。人多言曰饶舌[7]，物堪食曰可口。

【注释】

①口尚乳臭（xiù）：口中还存有奶水味。比喻人阅历还浅，资历轻。

②三折其肱（gōng）：手臂多次折断后，自己也能有医治骨折的方法。比喻经验积累多了，自然也会造诣精深。

③效颦（pín）：仿效西施蹙眉。

④胁肩：缩起肩膀。

⑤披肝：披肝沥胆。露出肝脏，滴出胆汁。比喻真心待人，也形容臣子忠心耿耿。

⑥为厉之阶：成为祸害的开始。厉，祸害。

⑦饶舌：唠叨。

【原文】

泽及枯骨，西伯之深仁[1]；灼艾分痛，宋祖之友爱。唐太宗为臣疗病，亲剪其须[2]；颜杲卿骂贼不绝[3]，贼断其舌。不较横逆[4]，曰置之度外；洞悉虏情，曰已入掌中。马良有白眉[5]，独出乎众；阮籍作青眼[6]，厚待乎人。咬牙封雍齿[7]，计安众将之心；含泪斩丁公[8]，法正叛臣之罪。掷果盈车[9]，潘安仁美姿可爱；投石满载[10]，张孟阳丑态堪憎。

【注释】

①“泽及枯骨”句：传说周文王让人开凿一处池沼时，发现了一具枯骨，马上令人好好安葬。

②亲剪其须：唐朝大将李勣病重，大夫说需要龙须入药，唐太宗就剪下自己的胡子给他熬药。

③颜杲（gǎo）卿骂贼不绝：唐代著名书法家颜真卿堂兄弟颜杲卿，唐玄宗时官至常山太守。安史之乱爆发，他拒不投敌，被俘后大骂安禄山，后被割断舌头而死。

④横逆：蛮横无理的行为。

⑤白眉：三国蜀的马良眉中有白毛，人称他白眉。

⑥青眼：黑眼珠。表示对人喜爱或重视。晋代阮籍遇到喜欢或尊敬的人就用青眼，即眼珠在中间，正视对方；遇讨厌的人用白眼，即眼珠向上或旁边看。

⑦咬牙封雍齿：汉朝初年封侯时，众功臣争执不下，人心惶惶。最后刘邦采纳张良的计策，把他最痛恨的雍齿封为侯，大家才安心。雍齿是刘邦的老乡，曾随他起事，后来几次背叛，最终仍归顺。

⑧丁公：西汉大将季布的弟弟丁固，原是项羽帐下大将，曾有机会杀掉刘邦，但被刘邦说服，放走了他。项羽兵败后，丁固投奔刘邦，刘邦因他以前的不忠而将其斩首。

⑨掷果盈车：相传晋代潘岳是有名的美男子，他每次坐车出门，妇人们都向他扔水果，以至于装了满满一车。

⑩投石满载：据说西晋文学家张载相貌丑陋无比，每次出门，妇人们就往他车上扔石头。

【原文】

事之可怪，妇人生须；事所骇闻，男人诞子。求物济用，曰燃眉之急；悔事无成，曰噬脐何及[①]。情不相关，如秦越人之视肥瘠[②]；事当探本[③]，如善医者只论精神。无功食禄，谓之尸位素餐[④]；谫劣[⑤]无能，谓之行尸走肉。老当益壮，宁知白首之心；穷且益坚，不坠青云之志。一息尚存，此志不容少懈；十手所指[⑥]，此心安可自欺。

【注释】

①噬脐（shì qí）何及：当因某事而后悔时，就像用自己的嘴咬不到肚脐那样，什么都来不及了。

②秦越人之视肥瘠：形容互相疏远。

③探本：追求本源。

④尸位：比喻在其位不谋其政的人。尸，指古代祭礼时代表神像端坐的人。素餐：白吃饭。

⑤谫（jiǎn）劣：学识浅薄。

⑥十手所指：被很多人指点。比喻在很多人的监督之下，不允许做坏事，也不可能隐瞒。

衣服

【原文】

冠称元服[①]，衣曰身章[②]。曰弁曰冔曰冕[③]，皆冠之号；曰履曰舄曰屣[④]，悉鞋之名。上公命服有九锡[⑤]，士人初冠有三加[⑥]。簪缨缙绅[⑦]，仕宦之称；章甫缝掖[⑧]，儒者之服。布衣即白丁之谓，青衿[⑨]乃生员之称。葛屦履霜[⑩]，诮俭啬之过甚；绿衣黄里[⑪]，讥贵贱之失伦。

【注释】

①冠称元服：冠，帽子，头为元首，所以冠就称元服。

②身章：身体的标志和文饰。

③弁（biàn）：古时一种官帽。赤黑色布的叫爵弁，是文冠；白鹿皮的叫皮弁，是武冠。冔（xǔ）：商代对帽子的称呼。冕：古代帝王、诸侯及卿大夫的礼帽。后来专指帝王的皇冠。

④履（lǚ）、舄（xì）、屣（xǐ）：鞋子。

⑤上公：周代官员的品秩分为九个等级，称为九命，三公（太师、太傅、太保）的等级是八命，被加封为诸侯时，再加一命，即称为上公。九锡：古代君王赐给臣子的九种礼器。

⑥初冠：古时男子二十岁时行冠礼。三加：指行冠礼时先戴缁布冠，再戴皮弁，最后戴爵弁。

⑦簪：簪子，古人用来固定发髻或冠的一种长针。缨：系在下巴处的帽带。缙（jìn）绅：同“搢绅”，“搢”意为插，“绅”指衣服外面的带子。

⑧章甫缝掖（yè）：指代儒生。章甫，商代的一种礼帽。缝掖，古代读书人穿的大袖衣服。

⑨青衿（jīn）：青色交领长衫。古代学子常穿的服装。

⑩葛屦（jù）履霜：穿着夏天的葛布鞋在霜雪上走。

⑪绿衣黄里：把绿色穿在外面，把黄色穿在里面。古代绿色为闲色，黄色为正色。

【原文】

上服曰衣，下服曰裳[①]；衣前曰襟，衣后曰裾。敝衣曰褴褛[②]，美服曰华裾。襁褓[③]乃小儿之衣，弁髦[④]亦小儿之饰。左衽[⑤]是夷狄之服，短后[⑥]是武夫之衣；尊卑失序，如冠履倒置；富贵不归，如锦衣夜行[⑦]。狐裘三十年，俭称晏子[⑧]；锦帐四十里，富羡石崇[⑨]。

【注释】

①裳：古人遮蔽下体的衣裙，男女都穿，不是裤子，是裙的一种。

②褴褛（lán lǚ）：衣服破旧。

③襁褓（qiǎng bǎo）：包裹婴儿的被子，或背负婴儿用的宽布带。

④弁髦（máo）：古代儿童的服饰。

⑤左衽（rèn）：衣襟开在左边。是中国古代某些少数民族服装的样式。

⑥短后：后幅较短的上衣，便于行动。

⑦锦衣夜行：穿锦衣在黑间行走。比喻自己富贵了，别人却看不到。

⑧晏子：春秋时齐国大夫，为人节俭机智。

⑨石崇：晋代大富豪，富可敌国，曾与王恺斗富，在大路上用绫罗做四十里步障。

【原文】

孟尝君[1]珠履三千客，牛僧孺金钗十二行[2]。千金之裘，非一狐之腋[3]；绮罗之辈，非养蚕之人。贵者重裀叠褥[4]，贫者裋褐[5]不完。卜子夏[6]甚贫，鹑衣[7]百结；公孙弘[8]甚俭，布被十年。南州冠冕，德操[9]称庞统之迈众；三河[10]领袖，崔浩羡裴骏[11]之超群。虞舜制衣裳，所以命有德[12]；昭侯藏敝裤[13]，所以待有功。

【注释】

①孟尝君：名田文，战国四公子之一，齐国宗室大臣，养食客数千人。

②牛僧孺：字思黯，唐朝大臣，是牛李党争中牛党的领袖。金钗十二行：指妻妾成群。

③一狐之腋：狐狸腋下最细软的毛，古人用其做裘衣，值千金。

④重裀（yīn）叠褥：垫子和褥子都有好几层。

⑤裋褐（hè）：粗布做的衣服。

⑥卜子夏：名商，字子夏，孔门七十二贤人之一，家贫。

⑦鹑（chún）衣：打满补丁的衣服。

⑧公孙弘：汉武帝的丞相，很俭朴，一条麻布被盖了十多年。

⑨德操：东汉末年人司马徽，字德操，善识人，人称水镜先生。

⑩三河：即河东、河南、河内，今河南洛阳黄河南北一带。

⑪崔浩：北魏大臣，官至司徒，后人称其为“南北朝第一流军事谋略家”。裴骏：字神驹，北魏中书博士，弱冠时即通涉经史。

⑫命有德：表彰任命有德的人。

⑬昭侯藏敝裤（kù）：典出《韩非子·内储说上》。战国时

的韩昭侯曾命人将自己穿过的一条破裤子收起来，以赏赐给有功的人。

【原文】

唐文宗袖经三浣[1]，晋文公衣不重裘[2]。衣履不敝，不肯更为[3]，世称尧帝；衣不经新，何由得故，妇劝桓冲[4]。王氏之眉贴花钿[5]，被韦固之剑所刺；贵妃之乳服诃子[6]，为禄山之爪所伤。姜氏翕和[7]，兄弟每宵同大被；王章[8]未遇，夫妻寒夜卧牛衣。缓带轻裘[9]，羊叔子[10]乃斯文主将；葛巾野服[11]，陶渊明真陆地神仙。服之不衷[12]，身之灾也；缊袍不耻[13]，志独超欤。

【注释】

①袖经三浣：唐文宗李昂与大臣议事时，曾说自己现在穿的衣服已经洗过三次了，众大臣都贺他节俭。只有柳公权默默不语，后来唐文宗追问他，他说："作为一国之君，应该考虑的是国家大事，而不是洗衣服这样的小事情。"

②衣不重裘：不穿厚皮衣，以示节俭。

③更为：更换。

④妇劝桓冲：东晋桓冲不喜欢穿新衣服，一次洗完澡，妻子特意给他一套新衣服，他大怒，让仆人更换，妻子以"衣不经新，何由得故"劝他，于是他便接受了。

⑤王氏之眉贴花钿（diàn）：典出《续幽怪录》。晋代韦固曾遇月下老人，老人告诉他姻缘天定。韦固便问自己的妻子在哪里。老人告诉他现在他的妻子只有三岁，是城北卖菜的陈氏的女儿。于是他前去察看，发现那是个丑陋的女孩，就用剑刺伤了女孩的眉心。十四年后，韦固娶了相州刺史王泰的养女王氏，她的眉心总贴

着花钿，韦固问她缘由，王氏说："我的父亲本来是郡守，后来死在任上，因此小时候乳母靠卖菜养我，被贼人刺伤，用花钿遮掩伤痕。"

⑥诃子：抹胸，胸衣。

⑦翕（xī）和：相处融洽、友爱。

⑧王章：汉代人，他未做官时家里很贫穷，曾病卧于给牛御寒的被中，哭着诀别自己的妻子，他的妻子却鼓励他振作。后来王章发愤图强，最终官至京兆尹。

⑨缓带轻裘：宽松的衣带，轻暖的皮衣服。形容穿衣闲适斯文，风度儒雅。

⑩羊叔子：即晋代人羊祜，字叔子。他任荆州都督时，穿着儒雅，被称为斯文主将。

⑪葛巾野服：陶渊明归隐后常常戴葛布头巾，穿山里人的衣服，被称为陆地神仙。

⑫不衷：不恰当，不合适。

⑬缊（yùn）袍不耻：穿着破旧袍子，却不觉得羞耻。

卷 三

人事

【原文】

《大学》首重夫明新[1]，小子[2]莫先于应对。其容固宜有度[3]，出言尤贵有章[4]。智欲圆而行欲方，胆欲大而心欲小。阁下、足下[5]，并称人之辞；不佞、鲰生[6]，皆自谦之语。恕罪曰原宥，惶恐曰主臣[7]。大春元、大殿选、大会状[8]，举人之称不一；大秋元、大经元、大三元[9]，士人之誉多殊。大掾史[10]，推美吏员；大柱石[11]，尊称乡宦。

【注释】

①明新：即明德与新民。明德指让人有美好的品德，新民是让人弃旧图新。

②小子：小学弟子，古代老师对学生的称呼。

③容：仪容。度：法度、规定。

④章：条理。

⑤阁下：对地位尊贵之人的敬称。足下：地位低的人称呼地位高的人或同辈相称。

⑥不佞（nìng）：没有才能。鲰（zōu）生：无知、浅陋的小生。

⑦主臣：本意是君臣，后来表示恭敬惶恐。

⑧大春元：古代春季会试的第一名。大殿选：殿试考中第一

名。大会状：会试、殿试皆得第一名。元，科举考试中凡取得第一名的都叫“元”。

⑨大秋元：古代秋季乡试的第一名。大经元：五经贡生第一名。大三元：连续考中乡试、会试、殿试第一名。

⑩掾（yuàn）史：汉代以后，职权较重的长官都有分担各种事务的下属，通称掾史。

⑪柱石：支梁的柱和承柱的基石。比喻担负重任的人。

【原文】

贺入学曰云程发轫[①]，贺新冠曰元服加荣[②]。贺人荣归，谓之锦旋；作商得财，谓之稛载[③]。谦送礼曰献芹[④]，不受馈曰反璧。谢人厚礼曰厚贶[⑤]，自谦利薄曰菲仪[⑥]。送行之礼，谓之赆仪[⑦]；拜见之赀[⑧]，名曰贽敬[⑨]。贺寿仪曰祝敬[⑩]，吊死礼曰奠仪[⑪]。请人远归曰洗尘，携酒送行曰祖饯[⑫]。犒仆夫，谓之旌使[⑬]；演戏文，谓之俳优[⑭]。

【注释】

①云程发轫（rèn）：古代祝人前程远大的言辞。发轫，拿掉刹车用的木头，比喻事业的开始。

②新冠：即成年。古时男人成年要举行加冠礼。元服：即冠。荣：封绥，这里是戴的意思。

③稛（kǔn）载：指满载。稛，用绳子捆起。

④献芹：自谦赠送的礼品菲薄或建议浅陋。

⑤厚贶（kuàng）：丰厚的赠礼。贶，赠。

⑥菲（fěi）仪：薄礼。

⑦赆（jìn）仪：赠送给远行者的路费或礼物。

⑧赀（zī）：财货。

⑨贽（zhì）敬：初次拜见为表敬意所送的礼物。

⑩祝敬：原是祝颂之词，后专门指祝贺生辰。

⑪奠仪：祭祀的礼品。

⑫祖饯：设宴送行，饯行。

⑬旌（jīng）使：表彰使者。旌，奖励、表彰。

⑭俳（pái）优：古代从事乐舞谐戏行业的艺人。

【原文】

谢人寄书，曰辱承华翰[①]；谢人致问，曰多蒙寄声[②]。望人寄信，曰早赐玉音[③]；谢人许物，曰已蒙金诺[④]。具名帖，曰投刺[⑤]；发书函，曰开缄[⑥]。思慕久曰极切瞻韩[⑦]，想望殷曰久怀慕蔺[⑧]。相识未真，曰半面之识[⑨]；不期而会，曰邂逅之缘。登龙门[⑩]，得参名士；瞻山斗[⑪]，仰望高贤。一日三秋[⑫]，言思慕之甚切；渴尘万斛[⑬]，言想望之久殷。

【注释】

①华翰：对别人书信的美称。翰，毛笔。

②寄声：口头传达问候。

③玉音：对别人言辞的敬称。

④金诺：价值千金的诺言。

⑤名帖：拜访他人时的名片。投刺：古时拜访他人时，因为没有纸，所以字是刻刺在木片上的，所以叫投刺。

⑥缄（jiān）：书信。

⑦瞻韩：唐代荆州刺史韩朝宗非常喜欢提拔他人，为时人所尊重，大诗人李白有《与韩荆州书》引他人之言“生不用封万户侯，但愿一识韩荆州”表达了自己的仰慕之情。后人就用“瞻韩”作为初见面的敬辞，表达久欲相识之意。

⑧慕蔺：《史记·司马相如列传》记载，汉代辞赋家司马相如仰慕蔺相如的为人，于是取“相如”为名。后人便用此词表达慕贤之意。

⑨半面之识：形容相识不深。东汉人应奉记忆力非常好，有个车匠曾从门里露出半张脸看他。十几年后，应奉在路上偶遇该车匠，仍然一眼便认出了他。

⑩登龙门：比喻得到有名望的人赏识而身价大涨。

⑪瞻山斗：比喻为人所敬仰的德高望重的人。山斗，指泰山、北斗。

⑫一日三秋：比喻分别时间虽很短，却觉得漫长。形容殷殷思念之情。

⑬渴尘万斛（hú）：形容非常想念。

【原文】

睽违[①]教命，乃云鄙吝复萌[②]；来往无凭，则曰萍踪靡定[③]。虞舜慕唐尧[④]，见尧于羹，见尧于墙；门人[⑤]学孔圣，孔步[⑥]亦步，孔趋[⑦]亦趋。曾经会晤，曰向获承颜接辞[⑧]；谢人指教，曰深蒙耳提面命[⑨]。求人涵容，曰望包荒[⑩]；求人吹嘘[⑪]，曰望汲引[⑫]。求人荐引，曰幸为先容[⑬]；求人改文，曰望赐郢斫[⑭]。借重鼎言[⑮]，是托人言事；望移玉趾[⑯]，是浼[⑰]人亲行。多蒙推毂[⑱]，谢人引荐之辞；望作领袖[⑲]，托人倡首之说。言辞不爽[⑳]，谓之金石语[㉑]；乡党公论，谓之月旦评[㉒]。逢人说项斯[㉓]，表扬善行；名下无虚士[㉔]，果是贤人。

【注释】

①睽（kuí）违：离别。

②鄙吝复萌：庸俗的念头又出现了。鄙吝，形容心胸狭窄，也

指过分爱惜钱财。萌，发生。

③萍踪靡（mǐ）定：像浮萍一样四处漂泊。

④虞舜慕唐尧：表示对死去先辈的追念。

⑤门人：孔子的弟子颜渊。

⑥步：慢走。

⑦趋：快走。

⑧承颜接辞：承蒙见面交谈。

⑨耳提面命：贴着耳朵叮嘱，当面教诲。

⑩包荒：包含荒秽。形容度量大。

⑪吹嘘：夸奖。

⑫汲引：提拔，引荐。

⑬先容：本意是先加以修饰，引申为事先为人介绍、引荐。

⑭郢斫（yǐng zhuó）：据说楚国郢都有一个巧匠，能够用斧子砍掉别人鼻子上的白粉，鼻子却一点都没有损伤。形容技艺高超。

⑮鼎言：比喻说话分量很重。

⑯玉趾：脚，敬称。

⑰浼（měi）：请求。

⑱推毂（gǔ）：比喻引荐人才。毂，车轴。

⑲领袖：衣服的领和袖，指为人表率的人。

⑳爽：差错、差池。

㉑金石语：说的话像金石一样坚固可靠。

㉒月旦：每月初一。评：品评别人。

㉓逢人说项斯：唐代人项斯以诗稿拜谒杨敬之，希望能得到他的提携。后来杨敬之送他一首诗，其中两句是："平生不解藏人善，到处逢人说项斯。"传到长安后，第二年项斯就中了进士。

㉔虚士：徒有虚名的人。

【原文】

党恶[1]为非，曰朋奸[2]；尽财赌博，曰孤注[3]。徒了事，曰但求塞责[4]。戒明察，曰不可苛求。方命[5]是逆人之言，执拗是执己之性。曰觊觎、曰睥睨[6]，总是私心之窥望；曰倥偬、曰旁午[7]，皆言人事之纷纭。小过必察，谓之吹毛求疵[8]；乘患[9]相攻，谓之落井下石。欲心难厌如溪壑[10]，财物易尽若漏卮[11]。望开茅塞[12]，是求人之教导；多蒙药石[13]，是谢人之箴规[14]。芳规芳躅[15]，皆善行之可慕；格言至言，悉嘉言之可听。

【注释】

①党恶：结党。

②朋奸：互相勾结干坏事。

③孤注：拿出所有的钱作为赌注。

④塞责：做事敷衍，不负责任。

⑤方命：违命、抗命。

⑥觊觎（jì yú）：指不应该存在的希望和企图。睥睨（pì nì）：斜着眼睛看，有厌恶或高傲之意。

⑦倥偬（kōng zǒng）：事情纷繁急迫。旁午：纷繁复杂。

⑧吹毛求疵（cī）：过分地挑剔。疵，指小毛病。

⑨患：灾难。

⑩厌：满足。溪壑（hè）：用填不满的溪谷比喻人贪得无厌。

⑪漏卮（zhī）：有漏洞的盛酒器，比喻权力外溢。

⑫茅塞：被茅草堵住，比喻思路闭塞，愚昧不开化。

⑬药石：古时大夫治病用的药物和砭石，用来比喻规劝别人改过的言语。

⑭箴规：劝告。

⑮芳规芳躅（zhú）：前贤留下的行为准则。躅，足迹。

【原文】

无言曰缄默，息怒曰霁威[①]。包拯寡色笑，人比其笑为黄河清；商鞅最凶残，常见论囚[②]而渭水赤。仇深曰切齿，人笑曰解颐[③]。人微笑曰莞尔[④]，掩口笑曰胡卢[⑤]。大笑曰绝倒[⑥]，众笑曰哄堂。留位待贤，谓之虚左[⑦]；官僚共署，谓之同寅[⑧]。人失信曰爽约，又曰食言；人忘誓曰寒盟[⑨]，又曰反汗[⑩]。

【注释】

①霁（jì）威：怒气消散，脸色好转。

②论囚：审判囚犯。

③解颐（yí）：指欢笑。颐，面颊。

④莞（wǎn）尔：微笑。

⑤胡卢：喉间的笑声。

⑥绝倒：不能自持地笑。

⑦虚左：空出左边的位置等待宾客，古时以左为尊。

⑧同寅（yín）：同僚。寅，恭敬。

⑨寒盟：忘却盟约。寒，终止。

⑩反汗：反悔。

【原文】

铭心镂骨[①]，感德难忘；结草衔环[②]，知恩必报。自惹其灾，谓之解衣抱火[③]；幸离其害，真如脱网就渊[④]。两不相入[⑤]，谓之枘凿[⑥]；两不相投，谓之冰炭。彼此不合曰龃龉[⑦]，欲进不前曰趑趄[⑧]。落落[⑨]不合之词，区区[10]自谦之语。竣[11]者作事已毕之谓，醵[12]者敛财饮食之名。赞襄[13]其事，谓之玉成[14]；分裂难完，谓之瓦解。

【注释】

①铭心镂（lòu）骨：形容感受很深，永远铭记。

②结草衔环：比喻感念别人的恩德，至死不忘。

③解衣抱火：脱下衣服，将火抱起。比喻不能解决问题，却招致危险。

④脱网就渊：鱼从网里逃脱，游到深水中。比喻人从灾祸中幸免。

⑤相入：相合。

⑥枘（ruì）凿：榫头和榫眼。

⑦龃龉（jǔ yǔ）：上下齿不齐。比喻人与人之间有矛盾。

⑧趑趄（zī jū）：犹豫不敢前进。比喻做事情犹豫不决。

⑨落落：形容孤独寂寞。

⑩区区：细小、微不足道的样子。

⑪竣（jùn）：完毕。

⑫醵（jù）：凑钱喝酒。

⑬赞襄：协助，辅佐。

⑭玉成：成全。

【原文】

事有低昂曰轩轾[1]，力相上下曰颉颃[2]。凭空起事曰作俑[3]，仍前踵弊曰效尤[4]。手口共作曰拮据[5]，不暇修容曰鞅掌[6]。手足并行曰匍匐，俯首而思曰低徊。明珠投暗[7]，大屈才能；入室操戈[8]，自相鱼肉[9]。求教于愚人，是问道于盲；枉道以干主[10]，是炫玉求售[11]。智谋之士，所见略同；仁人之言，其利甚溥[12]。

【注释】

①轩轾（zhì）：车前高后低叫轩，前低后高叫轾。引申为高低、上下。

②颉颃（xié háng）：鸟上下飞翔。

③作俑：古代陪葬用的木偶或陶人。比喻首开先例，贬义。

④踵（zhǒng）弊：跟着别人犯错。踵，脚后跟。效尤：效法别人的错误。

⑤拮据（jié jū）：处境窘迫，手头不宽裕。

⑥鞅掌：非常劳苦，容貌不整。

⑦明珠投暗：将夜明珠暗中放到大道上，看到的人都会很惊异。比喻将好的东西给了不识货的人。

⑧入室操戈：进入屋子里，拿起他的武器攻击他。比喻内部的争斗。

⑨自相鱼肉：内部自相残杀。

⑩枉道：歪门邪道。干：追求。

⑪炫玉求售：炫耀才能以求被录用。

⑫其利甚溥（pǔ）：利益很大。溥，广大。

【原文】

班门弄斧，不知分量；岑楼齐末[1]，不识高卑。势延莫遏[2]，谓之滋蔓难图[3]；包藏祸心[4]，谓之人心叵测。作舍道旁[5]，议论多而难成；一国三公[6]，权柄分而不一。事有奇缘，曰三生[7]有幸；事皆拂意[8]，曰一事无成。酒色是耽[9]，如以双斧伐孤树[10]，力量不胜，如以寸胶澄黄河[11]。兼听则明，偏听则暗，此魏徵之对太宗；众怒难犯，专欲难成，此子产之讽子孔[12]。欲逞所长，谓之心烦技痒[13]；绝无情欲，谓之槁木死灰。座上有江南[14]，语言须谨；往来无白丁，交接皆贤。

【注释】

①岑（cén）楼齐末：不顾楼的基础，只看楼尖，那么就是方寸之木也比楼高。岑楼，又高又尖的楼。形容认不清根本，不知高低。

②势延莫遏（è）：任事情自由发展，不予遏制。延，伸展。

③滋蔓（màn）难图：像野草一样蔓延，难以消除。

④包藏祸心：藏着害人的心思。

⑤作舍（shè）道旁：比喻众人议论纷纷，意见不统一，很难成事。

⑥一国三公：一个国家有三个主持政务的人。比喻政出多门，使人无所适从。

⑦三生：佛教用语，指前生、今生、来生。

⑧拂意：违背别人的心意。

⑨耽：沉溺。

⑩双斧伐孤树：指人如果贪图酒色，身体就会像双斧砍伐的树木一样垮掉。

⑪寸胶澄黄河：极少的胶难以澄清黄河。比喻以很小的力量难以成就大事。

⑫“众怒难犯”句：春秋时，郑国的子孔主持政务，一次他颁布了一项命令，结果引来大臣们的反对，子孔要杀掉这些人。子产阻止他说：“众怒难犯，专欲难成。”于是子孔烧掉了命令。

⑬心烦技痒：一有机会就想展示自己的特长。

⑭座上有江南：唐代郑谷曾有诗《座上贻歌者》，里面有“座

中亦有江南客，莫向春风唱鹧鸪”的句子。《鹧鸪》是一首江南的曲子，江南的客人听了就会引起浓浓的思乡之情。

【原文】

将近好处，曰渐入佳境[①]；无端倨傲[②]，曰旁若无人。借事宽役[③]曰告假，将钱嘱托曰夤缘[④]。事有大利，曰奇货可居；事宜鉴前[⑤]，曰覆车当戒。外彼[⑥]为此，曰左袒；处事两可，曰模棱[⑦]。敌甚易摧，曰发蒙振落[⑧]；志在必胜，曰破釜沉舟。曲突徙薪[⑨]无恩泽，不念预防之力大；焦头烂额为上客，徒知救急之功宏。贼人曰梁上君子，强梗曰化外顽民[⑩]。

【注释】

①渐入佳境：比喻情况越来越好。据传晋代的顾恺之每次吃甘蔗都从头部吃到根部，说这样会渐入佳境。

②无端：没来由。倨傲：高傲、傲慢。

③宽役：宽减公务，这里是暂停工作。

④夤（yín）缘：这里指攀附权贵，以求仕进。

⑤鉴前：借鉴前面的经验教训。

⑥外彼：排斥、疏远。

⑦模棱（léng）：遇事态度含糊。

⑧发蒙振落：把盖着的东西揭去，把将要落的树叶摘下来。形容办事轻而易举。

⑨曲（qū）突徙薪：典出《汉书·霍光传》。有一位客人见主人家的烟囱又直又短，旁边还堆着柴火，于是，建议他改建弯曲的烟囱并把薪柴挪走，以防失火，主人没有采纳。后来，这家果然发生火灾，邻居们前来帮他灭了火，他设宴招待大家，其中救火被烧伤的人被主

人奉为上宾，而提建议的人早就被忘记了。比喻对别人给出的预防意见不在意。

⑩强梗：蛮横、胡作非为的人。化外顽民：没有受过教化的百姓。

【原文】

木屑竹头[①]，皆为有用之物；牛溲马渤[②]，可备药石之资。五经[③]扫地，祝钦明[④]自亵斯文；一木撑天，晋王敦[⑤]未可擅动。题凤题午[⑥]，讥友讥亲之隐词；破麦破梨[⑦]，见夫见子之奇梦。毛遂片言九鼎[⑧]，人重其言；季布一诺千金[⑨]，人服其信。岳飞背涅尽忠报国[⑩]，杨震[⑪]惟以清白传家。下强上弱，曰尾大不掉[⑫]；上权下夺，曰太阿倒持[⑬]。当今之世，不但君择臣，臣亦择君；受命之主，不独创业难，守成亦不易。生平所为皆可对人言，司马光[⑭]之自信；运用之妙惟存乎一心，岳武穆[⑮]之论兵。

【注释】

①木屑竹头：东晋大臣陶侃把造船用剩的木屑竹头收藏起来，人们都笑他。后来下雪初晴，为防路滑，他就命人用木屑铺地。后来桓温伐蜀时，他又用竹头作钉造船。比喻看似无用的东西其实也有用。

②牛溲（sōu）马渤：比喻一般人认为无用的东西，在懂得其性能的人那里也会变成有用之物。牛溲，牛尿，一说车前草。马渤，一种菌类，可入药。

③五经：即《诗经》《尚书》《礼记》《周易》《春秋》。

④祝钦（qīn）明：唐中宗时大臣，长得很胖，很有学问。一次他

为了取悦皇帝，在宴会上跳起了八风舞，结果丑态百出。比喻丢尽了文人的脸。

⑤王敦：晋代王敦想要谋反，一次他梦见一木撑天，认为这是自己要做皇帝的吉兆，就请吴猛解梦。吴猛说："一木撑天是个'未'，不可轻举妄动。"比喻时机未成熟。

⑥题凤：三国时，魏国的嵇康与吕安是好友。一次，吕安去拜访嵇康，结果嵇康出门未归，他的哥哥嵇喜前来接待，吕安没有进门，而是在门上面题了一个"鳳"（凤的繁体字）字，嵇喜看到后非常高兴，以为说他是凤鸟。其实吕安讥讽他是"凡鸟"（"鳳"由凡鸟二字组成）。题午：古时有个人去拜访朋友，结果恰巧朋友不在家，于是他便在朋友家的门上写了个"午"字。这里是嘲笑朋友如"牛"不出头。

⑦破麦：传说宁波有一个妇人，在兵荒马乱中与丈夫和儿子走散，寄居尼姑庵中。一天她梦见自己磨麦，莲花落尽，有一尼姑给她解梦说磨了麦子就见了麸（夫），莲花落了就见了莲子。果然，不久妇人就与丈夫和儿子团聚了。破梨：传说杨进贤担任南阳刺史时，一次坐船时遇到大风，混乱中儿子走失了。夫妇两人念子心切，一天梦见与儿子分梨。第二天就请友人圆梦，友人说分开梨后梨籽出，果然十天后他们找到了儿子。

⑧片言九鼎：比喻说话分量重。

⑨一诺千金：比喻人们讲信用，说话算数。

⑩涅（niè）：在身上刺字，用墨染色。尽忠报国：为国家牺牲一切。

⑪杨震：东汉人，为人公正廉洁，不为后代置办田产，人称清白传家。

⑫尾大不掉：比喻部属的力量过于强大，不服从指挥。

⑬太阿（ē）倒持：倒着拿太阿剑，将剑柄递给别人。太阿，宝剑名。

⑭司马光：北宋大臣，主持编纂了《资治通鉴》。

⑮岳武穆：岳飞。

【原文】

不修边幅[1]，谓人不饰仪容；不立崖岸[2]，谓人天性和乐。蕞尔、幺么[3]，言其甚小；卤莽、灭裂[4]，言其不精。误处皆缘不学[5]，强作[6]乃成自然。求事速成曰躐等[7]，过于礼貌曰足恭[8]。假忠厚者谓之乡愿[9]，出人群者谓之巨擘[10]。孟浪[11]由于轻浮，精详出于暇豫[12]。为善则流芳百世，为恶则遗臭万年。过多曰稔恶[13]，罪满曰贯盈[14]。尝见冶容诲淫[15]，须知慢藏诲盗[16]。

【注释】

①边幅：布帛的边缘，比喻人的仪表。

②立崖岸：站在山崖和堤岸边，比喻不合群。

③蕞（zuì）尔：很小。幺么：细小。

④灭裂：言行草率。

⑤误处皆缘不学：汉高祖刘邦一生犯了很多错误，有个名叫唐仲友的人评价说："误处皆缘不学，改处皆由敏悟。"

⑥强作：努力去做。

⑦躐（liè）等：越级。躐，逾越。

⑧足恭：过度谦恭。

⑨乡愿：貌似忠厚，其实品德不好的人。

⑩巨擘（bò）：大拇指，引申为杰出的人物。

⑪孟浪：言语行为轻率。

⑫暇豫：从容安逸。

⑬稔（rěn）恶：积恶甚多。稔，酝酿成熟。

⑭贯盈：即恶贯满盈，说人的罪恶就像穿钱的线绳，已经贯满。

⑮诲淫：女子穿着打扮妖冶，是诱惑人为淫乱。诲，引诱。

⑯诲盗：贵重物品没有藏好，就像教人为盗。

【原文】

管中窥豹[①]，所见不多；坐井观天，知识不广。无势可乘，英雄无用武之地；有道则见[②]，君子有展采[③]之思。求名利达，曰捷足先得；慰士迟滞[④]，曰大器晚成。不知通变，曰徒读父书[⑤]；自作聪明，曰徒执己见。浅见曰肤见[⑥]，俗言曰俚言。识时务者为俊杰，昧先几[⑦]者非明哲。村夫不识一丁[⑧]，愚者岂无一得。拔去一丁，谓除一害；又生一秦[⑨]，是增一仇。

【注释】

①管中窥（kuī）豹：从竹管中看一只豹子，只能看到它的一个斑点。比喻所见不全。

②见：同“现”。

③展采：供职。展，施展。采，官职。

④迟滞：缓慢不前。

⑤徒读父书：白读了父亲的兵书。战国时，名将赵奢的儿子赵括统兵，死守教条，不会变通，最后战败。蔺相如说：“赵括徒读父书，不知通变。”

⑥肤见：比喻浅薄的见解。

⑦昧（mèi）：晦暗不明。几：细微的变化。

⑧一丁：指北宋大臣丁谓。丁谓善于阿谀奉承，最后排挤掉寇准，当上宰相，京城中歌谣唱道：“欲得天下宁，拔去眼前丁。”

⑨又生一秦：秦末时，陈胜派武臣去安抚赵地，武臣却在当地称王，陈胜想攻打他，手下谋士阻止了他，并说去攻打他等于又出现了一个敌人。

【原文】

戒轻言，曰恐属垣有耳①；戒轻敌，曰勿谓秦无人②。同恶相帮，谓之助桀为虐③；贪心无厌，谓之得陇望蜀④。当知器满则倾⑤，须知物极必反⑥。喜嬉戏名为好弄⑦，好笑谑谓之诙谐⑧。谗口交加⑨，市中可信有虎；众奸鼓衅⑩，聚蚊可以成雷。萋斐成锦⑪，谓谮人⑫之酿祸；含沙射影，言鬼蜮⑬之害人。针砭⑭所以治病，鸩毒⑮必至杀人。

【注释】

①属垣（yuán）有耳：有人隔着墙偷听。属垣，指墙。

②勿谓秦无人：春秋时期，晋国大臣士会逃到秦国，被秦王赶走。之前绕朝曾劝说秦王，秦王不听。后来绕朝对士会说：“不要说秦国无人，只是我的计策没有被采纳罢了。”指不可轻敌轻信。

③助桀为虐：帮助别人干坏事。桀，夏朝最后一个君主，是一个暴君。

④得陇望蜀：已得到陇地，还想得到蜀地，比喻人贪心不足。

⑤器满则倾：容器装满了就会倾倒。比喻事物发展到一个界限后会向相反的方面转化。

⑥物极必反：事物发展到极点，就会向相反的方面转化。

⑦好弄：爱好游戏。

⑧笑谑（xuè）：开玩笑。诙谐：谈吐风趣。

⑨交加：相加。

⑩鼓衅（xìn）：挑起事端。

⑪萋斐（fěi）成锦：花纹错杂，织成无色锦。比喻造谗言，诋毁别人。

⑫谮（zèn）人：中伤别人。

⑬鬼蜮（yù）：害人的鬼怪。比喻暗中害人的小人。

⑭针砭（biān）：评论、规劝别人的措施。

⑮鸩（zhèn）毒：毒药，毒酒。

【原文】

李义府阴柔害物[①]，人谓之笑里藏刀；李林甫奸诡谄人，世谓之口蜜腹剑。代人作事，曰代庖[②]；与人设谋，曰借箸[③]。见事极真，曰明若观火[④]；对敌易胜，曰势若摧枯。汉武内多欲而外施仁义，廉颇先国难而后私仇。卧榻之侧，岂容他人鼾睡[⑤]，宋太祖之语；一统之世，真是胡越一家[⑥]，唐太宗之时。

【注释】

①李义府：与李林甫都是唐朝宰相，为人都阴险狡诈。李义府表面待人和蔼谦恭，笑脸迎人，心里却阴险狡诈，凡是冒犯过他的人，都会遭到他的迫害。因此人称“笑里藏刀”。阴柔害物：表面和善，暗地里害人。

②代庖（páo）：代厨师下厨。指代人做事。

③借箸（zhù）：借筷子，指为人筹划。

④明若观火：比喻洞察事物的来龙去脉看得十分明晰。

⑤卧榻之侧，岂容他人鼾（hān）睡：比喻自己的利益不允许任何人染指。据传，南唐后主李煜派使臣向宋求和，以保全南唐。宋太祖回复说："卧榻之侧，岂容他人鼾睡。"

⑥胡越一家：胡在北部，越在南方。比喻天下一统。

【原文】

至若暴秦以吕易嬴①，是嬴亡于庄襄之手；弱晋以牛易马②，是马灭于怀愍之时。中宗亲为点筹于韦后，秽播千秋③；明皇赐洗儿钱于贵妃④，丑遗万代。非类相从，不如鹑鹊⑤；父子同牝⑥，谓之聚麀⑦。以下淫上谓之烝⑧，野合⑨奸伦谓之乱。从来淑慝⑩殊途，惟在后人法戒⑪；斯世清浊异品，全赖吾辈激扬。

【注释】

①以吕易嬴：据说战国时，吕不韦把自己怀有身孕的姬妾献给了秦庄襄王子楚，后来生下的男孩就是嬴政。

②以牛易马：晋代琅玡王妃与小吏牛金私通生下了司马睿，就是东晋的开国皇帝晋元帝，他实际是姓牛，故说以牛易马。

③秽（huì）播千秋：丑闻传千年。指唐中宗的韦皇后与武三思私通，韦后与武三思赌钱时，中宗还为她点筹码。

④明皇赐洗儿钱于贵妃：指唐玄宗宠爱的杨贵妃认与自己关系暧昧的安禄山做干儿子，并于第三天为他举行洗儿礼，唐玄宗竟然赏赐杨玉环"洗儿钱"。

⑤鹑鹊：鹌鹑和喜鹊，它们飞翔时都紧紧相随。

⑥牝：雌性的鸟兽。

⑦聚麀（yōu）：本指兽类中的父子共同拥有一个雌性，后来指两代的乱伦关系。麀，雌鹿。

⑧烝（zhēng）：古代指与母辈淫乱。

⑨野合：私通。

⑩淑：善。慝（tè）：恶。

⑪法戒：效法并警戒。

饮食

【原文】

甘脆肥脓[①]，命曰腐肠[②]之药；羹藜含糗[③]，难语太牢[④]之滋。御食曰珍馐[⑤]，白米曰玉粒。好酒曰青州从事[⑥]，次酒曰平原督邮。鲁酒、茅柴[⑦]，皆为薄酒；龙团、雀舌[⑧]，尽是香茗。待人礼衰，曰醴酒[⑨]不设；款客甚薄，曰脱粟[⑩]相留。竹叶青、状元红[⑪]，俱为美酒；葡萄绿、珍珠红[⑫]，悉是香醪[⑬]。

【注释】

①甘脆肥脓：指美好的酒食。

②腐肠：腐蚀肠胃。

③羹藜（lí）含糗（qiǔ）：喝野菜汤，吃干粮。藜，一种野菜。糗，炒熟的米、麦等。

④太牢：古代祭祀将牛、羊、猪称为太牢。

⑤御食：御膳。珍馐：珍奇美味的食品。

⑥青州从事：代指好酒，下面的“平原督邮”代指劣酒。晋代桓温手下一位主簿尝到好酒就说是青州从事，尝到次酒就称为平原督邮。因青州有齐郡，“齐”与“脐”音同，好酒直到脐下；平原有鬲县，“鬲”与“膈”音同，次酒只到膈下。

⑦鲁酒：鲁国出产的酒，味道淡薄。茅柴：称劣质酒。

⑧龙团、雀舌：都是上等茶叶，后泛指茶。

⑨醴（lǐ）酒：甜酒。

⑩脱粟：糙米。

⑪竹叶青、状元红：都是美酒名。

⑫葡萄绿、珍珠红：酒名。类似现在的葡萄酒。

⑬醪（láo）：醇香浓郁的美酒。

【原文】

五斗解酲[1]，刘伶独溺于酒；两腋生风[2]，卢仝偏嗜乎茶。茶曰酪奴[3]，又曰瑞草[4]；米曰白粲，又曰长腰[5]。太羹玄酒[6]，亦可荐馨；尘饭涂羹[7]，焉能充饿。酒系杜康[8]所造，腐[9]乃淮南所为。僧谓鱼曰水梭花，僧谓鸡曰穿篱菜[10]。临渊羡鱼，不如退而结网；扬汤止沸[11]，不如去火抽薪。羔[12]酒自劳，田家之乐；含哺鼓腹[13]，盛世之风。

【注释】

①解酲（chéng）：解酒。

②两腋生风：喝过茶之后飘飘欲飞的感觉。

③酪（lào）奴：茶汤的别名。

④瑞草：珍贵的草，代指茶。

⑤长腰：形状狭长的米。

⑥太羹：传说尧熬制肉汁时，不加盐等调味品，称为太羹。玄酒：祭祀用的水，当酒用。

⑦尘饭涂羹：儿童游戏时用土做饭和汤。

⑧杜康：传说是黄帝的大臣，酿酒技术的发明者。

⑨腐：豆腐。据说由汉代淮南王刘安发明。

⑩水梭花、穿篱菜：僧人吃素食，因此是一种忌讳的说法。

⑪扬汤止沸：从锅中舀起沸水再倒进去来阻止水沸腾。比喻方法不能彻底解决问题。汤，开水。

⑫羔：小羊。

⑬含哺鼓腹：口含食物敲着肚子。形容太平盛世无忧无虑的生活。

【原文】

人贪食曰徒馎啜[①]，食不敬曰嗟来食[②]。多食不厌，谓之饕餮[③]之徒；见食垂涎，谓有欲炙之色[④]。未获同食，曰向隅[⑤]；谢人赐食，曰饱德。安步可以当车[⑥]，晚食[⑦]可以当肉。饮食贫难，曰半菽[⑧]不饱；厚恩图报，曰每饭不忘。谢扰人曰兵厨之扰[⑨]，谦待薄曰草具之陈[⑩]。白饭青刍[⑪]，待仆马之厚；炊金爨玉[⑫]，谢款客之隆。

【注释】

①徒：只。馎（bū）：吃。啜（chuò）：喝。

②嗟（jiē）来食：春秋时，齐国发生饥荒，黔敖将食物摆于路口以救济饥民。这时有个挨饿的人走过来，黔敖看到后，傲慢地喊道："嗟，来食！"那个人瞪着他说："我就是因为不吃'嗟来之食'，才会饿成这样。"

③饕餮（tāo tiè）：传说是龙的第五子。比喻贪吃。

④欲炙之色：渴望吃肉的样子。

⑤向隅（yú）：对着墙角。形容孤独。

⑥安步：平稳地走路。当车：像坐了车子一样舒服。

⑦晚食：肚子饿了才吃饭。

⑧半菽（shū）：食物里掺杂豆子，指粗糙的饭食。

⑨兵厨之扰：晋代阮籍听说步兵校尉厨房里贮有好酒，就主动申请当步兵校尉。

⑩草具之陈：草编的餐具，代指粗劣的食物。

⑪白饭青刍（chú）：给仆人吃米饭，给马吃青草，待客丰厚。

刍，喂牲口的草。

⑫炊金爨（cuàn）玉：比喻食物精美。炊、爨，烧火做饭。

【原文】

家贫待客，但知抹月披风[①]；冬月邀宾，乃云敲冰煮茗[②]。君侧元臣[③]，若作酒醴之曲糵[④]；朝中冢宰[⑤]，若作和羹之盐梅[⑥]。宰肉甚均[⑦]，陈平见重于父老；戛羹示尽[⑧]，邱嫂心厌乎汉高。毕卓为吏部而盗酒[⑨]，逸兴太豪；越王爱士卒而投醪[⑩]，战气百倍。惩羹吹齑[⑪]，谓人惩前警后；酒囊饭袋[⑫]，谓人少学多餐。隐逸之士，漱石枕流[⑬]；沉湎之夫，藉糟枕曲[⑭]。昏庸桀纣，胡为酒池肉林[⑮]；苦学仲淹，惟有断齑画粥[⑯]。

【注释】

①抹月批风：用风和月来招待客人，表示家里贫寒无菜可做。抹、批，切菜的方式。

②敲冰煮茗：敲开冰，煮茶招待客人，形容盛情待客。

③君侧元臣：帝王身边的大臣。

④曲糵（niè）：即酒曲，酿酒用的发酵剂。

⑤冢宰：指吏部尚书，掌管官吏任免考核等。

⑥和羹：调制羹汤。盐梅：调味品。

⑦宰肉甚均：汉代丞相陈平年轻时曾为乡亲们分肉，非常平均，深得大家信任。

⑧戛（jiá）羹示尽：汉高祖刘邦没有做皇帝时，一次去哥哥家看见他们正在吃肉羹，嫂嫂见刘邦来了，故意用勺子刮着盆底假装没有了。刘邦因此记恨在心，当皇帝后封侄子为羹颉侯。

⑨毕卓为吏部而盗酒：晋元帝时的吏部郎毕卓看到邻居家酿酒，就去偷喝，结果醉卧在酒瓮旁。

⑩越王爱士卒而投醪（láo）：越王勾践在攻打吴国时，曾把酒倒在江水上游，让士兵畅饮，士兵们无不感动，奋勇杀敌。

⑪惩羹吹齑（jī）：被热汤烫过后，就连吃凉菜也要先吹一吹，比喻人做事过于谨慎。齑，切细的冷食。

⑫酒囊饭袋：比喻只会吃饭，不会做事的人。

⑬漱（shù）石枕流：比喻隐居的人。晋代的孙楚年少时想隐居山林，对王武子说："当枕石漱流。"结果说成了"漱石枕流"，然后又辩解道："所以枕流，是为了洗耳朵；漱石，是为了磨牙齿。"

⑭藉（jiè）糟枕曲：比喻嗜酒。

⑮酒池肉林：形容统治者穷奢极欲。

⑯断齑画粥：宋代大臣范仲淹小时候家里很穷，他为了专心读书，每天都煮粥，待凝固后划成四块，早晚取两块边读书边就着咸菜吃。

宫室

【原文】

洪荒[①]之世，野处穴居；有巢[②]以后，上栋下宇[③]。竹苞松茂[④]，谓制度[⑤]之得宜；鸟革翚飞[⑥]，谓创造之尽善。朝廷曰紫宸[⑦]，禁门曰青琐[⑧]。宰相职掌丝纶[⑨]，内居黄阁[⑩]；百官具陈章疏，敷奏丹墀[⑪]。木天署[⑫]学士所居，紫微省[⑬]中书所莅。金马、玉堂，翰林院宇；柏台、乌府[⑭]，御史衙门。布政司[⑮]称为藩府，按察司[⑯]系是臬司。潘岳种桃于满县，人称花县；子贱鸣琴[⑰]以治邑，故曰琴堂。潭府[⑱]是仕宦之家，衡门[⑲]乃隐逸之宅。

【注释】

①洪荒：混沌的状态，即远古时代。

②有巢：有巢氏，传说他是以木建屋的发明者。

③上栋下宇：上边是屋梁，下边是屋檐。

④竹苞松茂：如松竹一样茂盛，比喻房屋根基稳固，家族人丁兴旺。

⑤制度：制作规模。

⑥鸟革翚（huī）飞：像鸟儿和野鸡张开双翼飞翔一样。革，鸟张开翅膀。翚，五色野鸡。

⑦紫宸（chén）：宫殿名。

⑧禁门：秦汉时的皇宫被称为禁中，宫门就是禁门。青琐：指装饰皇宫门窗的花纹。

⑨丝纶：皇帝的诏书。

⑩黄阁：汉代丞相、太尉和汉朝以后的三公官署大门都涂黄色。

⑪丹墀（chí）：指宫中的台阶，用丹红色涂抹。

⑫木天署：翰林院。

⑬紫微省：唐玄宗开元年间改中书省为紫微省，中书令为紫微令。

⑭柏台、乌府：汉代朱博为御史时，府中种有柏树，招来很多乌鸦，后来以柏台、乌府代称御史衙门。

⑮布政司：官署名，明代把元代的中书省改为承宣布政使司，简称布政司，管理民政、田赋、户籍等。又称藩司衙门。

⑯按察司：官署名。提刑按察司的简称，是一省的司法检察机关，又称臬（niè）司。

⑰子贱鸣琴：春秋末年鲁国人宓子贱治理单父时，讲究仁德，每天他只坐在府衙弹琴，结果单父被治理得井井有条。后来以琴堂代指县衙。

⑱潭府：《韩符诗》有“潭潭府中居”之句，形容深宅大院。

⑲衡门：门上有一根横木，形容贫穷之家。

【原文】

贺人有喜，曰门阑蔼瑞[①]；谢人过访，曰蓬荜[②]生辉。美奂美轮[③]，《礼》称屋宇之高华；肯构肯堂，《书》言父子之同志[④]。土木方兴，曰经始[⑤]；创造已毕，曰落成。楼高可以摘星[⑥]，屋小仅堪容膝。寇莱公庭除之外[⑦]，只可栽花；李文靖厅事[⑧]之前，仅容旋马。恭贺屋成，曰燕贺[⑨]；自谦屋小，曰蜗庐[⑩]。民家名曰闾阎[⑪]，贵族称为阀阅[⑫]。朱门[⑬]乃富豪之第，白屋是布衣之家。

【注释】

①门阑蔼瑞：指门前祥云缭绕，充满吉祥。

②蓬荜（bì）：指柴门。喻陋室。

③美奂美轮：今作美轮美奂，高大、宽敞、明亮。

④同志：志同道合。

⑤经始：开始，营建，开始经营。

⑥摘星：形容房屋之高。

⑦寇莱公庭除之外：宋代宰相寇准晚年被封为寇莱公，据说他的院落很小，只够栽花。

⑧李文靖厅事：北宋宰相李文靖的厅堂很小，只能容下一匹马转身。

⑨燕贺：燕雀来祝贺房屋落成。

⑩蜗庐：蜗牛壳。

⑪闾（lú）阎：里巷的门，借指平民。

⑫阀阅：指有功勋的贵族世家。

⑬朱门：古代的王公贵族将住宅大门漆成红色，表示尊贵。

【原文】

客舍曰逆旅[①]，馆驿[②]曰邮亭；书室曰芸[③]窗，朝廷曰魏阙[④]。成均、辟雍[⑤]，皆国学之号；黉宫、胶序[⑥]，乃乡学[⑦]之称。笑人善忘，曰徙宅[⑧]忘妻；讥人不谨，曰开门揖盗[⑨]。何楼[⑩]所市，皆滥恶之物；垄断[⑪]独登，讥专利之人。筚门、圭窦[⑫]，系贫士之居；瓮牖、绳枢[⑬]，皆窭[⑭]人之室。宋寇准真是北门锁钥[⑮]，檀道济[⑯]不愧万里长城。

【注释】

①逆：迎接。旅：众人。

②馆驿：古代驿站上设置的旅舍。

③芸：香草。

④魏阙：古代官门两边都有耸立的高台，下面悬布法令。后来代指朝廷。

⑤成均：古代的大学。辟雍：西周帝王为贵族子弟设置的大学。

⑥黉（hóng）宫：古代的学校。胶序：学校的通称。

⑦乡学：指地方的学校。

⑧徙宅：搬家。

⑨揖盗：把强盗请进门。

⑩何楼：宋代都城里开封有何家楼，楼下所卖的东西多是伪劣之物，所以人们就把虚伪欺诈的人称作“何楼”。

⑪垄断：原指高而不相连的土墩，后指独占。

⑫筚门、圭窦：竹编的门和墙上打洞做的窗户。

⑬瓮牖（wèng yǒu）、绳枢：以破瓮为窗，用绳子系门枢。比喻贫困。

⑭窭（jù）：泛指贫穷。

⑮北门锁钥：北宋名臣寇准自称守卫北门的锁钥。比喻肩负守卫一地的重任。

⑯檀道济：南宋名将，受陷害被诛时说：“这是毁坏自己的万里长城。”万里长城用来比喻国家所依赖的大将。

器用

【原文】

一人之所需，百工斯为备。但用则各适其用[①]，而名则每异其名。管城子、中书君[②]，悉为笔号；石虚中、即墨侯[③]，皆为砚称。墨为松使者[④]，纸号楮先生[⑤]。纸曰剡藤[⑥]，又曰玉版[⑦]；墨曰陈玄，又曰龙剂。共笔砚，同窗之谓；付衣钵[⑧]，传道之称。笃志业儒，曰磨穿铁砚[⑨]；弃文就武，曰安用毛锥[⑩]。剑有干将莫邪[⑪]之名，扇有仁风便面[⑫]之号。何谓箑[⑬]，亦扇之名；何谓籁[⑭]，有声之谓。

【注释】

①用则各适其用：器物的用途不同。

②管城子、中书君：毛笔的代称。唐代韩愈曾写有寓言《毛颖传》，叫毛笔为毛颖，说毛颖被秦代蒙恬所获，进献给了秦始皇，被封在管城，就叫管城子，又封为中书令，因他与皇帝的关系很好，就叫他中书君。

③石虚中、即墨侯：砚的别名。

④松使者：墨的代称。墨是用松树的墨烟熏成的，故称松使者。

⑤楮（chǔ）先生：纸的代称。因为楮树皮是造纸的原料。

⑥剡（shàn）藤：剡溪的藤，造出的纸质地非常好。

⑦玉版：成都的浣花溪产纸，洁白光滑如玉版，故名。

⑧付衣钵：泛指师传的学问、技能等。衣钵是佛教僧尼的袈裟

和钵盂。

⑨磨穿铁砚：典出《新五代史·桑维翰传》。五代时，桑维翰考进士时，考官因其姓与“丧”同音，就不录取他。他的朋友劝他放弃，另求其他门路。桑维翰始终不肯，而且还作诗明志，并且用铁铸了块砚，说：“什么时候把这铁砚磨穿了，我才会改变考进士的想法。”后来他果然中了进士。

⑩毛锥：毛笔。

⑪干将莫邪：中国古代传说中造剑的名匠。干将，春秋时吴国人，为吴王造剑。后与其妻莫邪奉命为楚王造了两把宝剑，即干将和莫邪。莫邪，也作镆铘。

⑫仁风便面：仁风，本为古代赞美帝王或地方官的话，赞美他恩德如风遍布四方，后来借指扇子。便面，用来遮脸的物品，后来也称团扇、折扇。

⑬箑（shà）：传说古代的一种吉祥草，叶子能自动扇风，后指扇。

⑭籁（lài）：各种声音。

【原文】

小舟名舴艋[①]，巨舰曰艨艟[②]。金根[③]是皇后之车，菱花乃妇人之镜。银凿落[④]原是酒器，玉参差[⑤]乃是箫名。刻舟求剑，固而不通；胶柱鼓瑟[⑥]，拘而不化。斗筲[⑦]言其器小，梁栋谓是大材。铅刀[⑧]无一割之利，强弓有六石[⑨]之名。

【注释】

①舴艋（zé měng）：小舟。

②艨艟（méng chōng）：古代一种战船，船体用牛皮包裹。

③金根：车名，以黄金为饰。

④银凿落：以镂刻银为装饰的酒杯。唐代称杯为凿落。

⑤玉参差：镶玉的排箫，后来代指箫。

⑥胶柱鼓瑟：用胶把柱黏住，瑟就不能调音，比喻不知变通。柱，转动琴弦以调节声音的短木。瑟，古乐器。

⑦斗筲（shāo）：斗和筲都是很小的容器。比喻人器量狭小。

⑧铅刀：用铅做成的刀，质软，不锋利。

⑨石：古代重量单位，一百二十斤为一石。

【原文】

杖以鸠名[①]，因鸠喉之不噎；钥同鱼样[②]，取鱼目之常醒。兜鍪[③]系是头盔，叵罗[④]乃为酒器。短剑名匕首，毡毯曰氍毹[⑤]。琴名绿绮、焦桐[⑥]，弓号乌号、繁弱[⑦]。香炉曰宝鸭[⑧]，烛台曰烛奴[⑨]。龙涎、鸡舌[⑩]，悉是香名；鹢首、鸭头[⑪]，别为船号。寿光客[⑫]，是妆台无尘之镜；长明公[⑬]，是梵堂不灭之灯。

【注释】

①杖以鸠（jiū）名：古代的手杖上端刻有鸠鸟，称为鸠杖，据说是因为鸠不会噎食，用来提醒老人慢一点吃饭。

②钥同鱼样：古代的锁或钥匙像鱼一样，据说是因为鱼常睁着眼睛，用来提醒人们注意。

③兜鍪（móu）：头盔。

④叵（pǒ）罗：敞口的浅酒杯。

⑤氍毹（qú shū）：毛或毛麻织的地毯。

⑥绿绮：古琴名，为汉代文人司马相如所拥有。焦桐：又称焦尾琴，为汉代人蔡邕所拥有。

⑦乌号、繁弱：古时良弓。

⑧宝鸭：鸭形香炉。

⑨烛奴：烛台。

⑩龙涎（yán）：珍贵的香料。鸡舌：一种香，可治口气。

⑪鹢（yì）首：古时人们画在船头的鹢鸟，所以称船首为鹢首，也代称船。鸭头：船头是鸭头状的大船。

⑫寿光客：镜子。

⑬长明公：指佛堂里的灯，也叫长明灯。

【原文】

桔槔[①]是田家之水车，袯襫[②]是农夫之雨具。乌金[③]，炭之美誉；忘归[④]，矢之别名。夜可击，朝可炊，军中刁斗[⑤]；云汉热，北风寒，刘褒画图[⑥]。勉人发愤，曰猛著祖鞭[⑦]；求人宥[⑧]罪，曰幸开汤网[⑨]。拔帜立帜[⑩]，韩信之计甚奇；楚弓楚得[⑪]，楚王所见未大。董安于[⑫]性缓，常佩弦以自急；西门豹[⑬]性急，常佩韦[⑭]以自宽。汉孟敏尝堕甑不顾[⑮]，知其无益；宋太祖谓犯法有剑，正欲立威。

【注释】

①桔槔（jié gāo）：一种井上汲水的工具。

②袯襫（bó shì）：蓑衣之类的防雨服，农夫所穿。

③乌金：对于普通百姓来说，煤炭很贵重，所以称为乌金。

④忘归：箭名。取一去不返之意。

⑤刁斗：古代军队用具，用铜制作，夜间打更，白天做饭。

⑥刘褒画图：汉代刘褒善画，他的《云汉图》使观看的人都热到流汗，《北风图》使看到的人都感到遍体生凉。

⑦猛著祖鞭：勉励人努力进取。晋代刘琨与祖逖关系很好，他曾给好友写信说："我立志驱除来犯的敌人，每天不敢踏实睡觉，只恐祖逖的马鞭打在我前面。"

⑧宥（yòu）：原谅。

⑨幸开汤网：比喻刑政宽大。商汤看见有人用网四面围住捕鸟，他认为那是夏桀的做法。于是去掉三面，只留一面。大家听说了之后都赞叹他的仁慈兼及鸟兽，恩德宏大。

⑩拔帜立帜：汉大将韩信有一次率军打仗时，要求属下将敌人阵地的旗帜都换成自己的，结果敌人大乱，惨败逃走。

⑪楚弓楚得：楚王的弓丢失了，他的属下要去找，楚王认为一定是楚人捡到了，没必要去找，后来孔子讥笑他心胸不大："不曰人遗弓，人得之乎？何必楚乎？"

⑫董安于：战国时人，性情迂缓，常佩着弓弦以提醒自己要紧张一些。

⑬西门豹：战国时人，性情急躁，常佩着牛皮以提醒自己要性情舒缓一些。

⑭韦：熟牛皮，非常柔软。

⑮堕甑（zèng）不顾：比喻事情已经发生，虽有遗憾也无法挽回。典出《后汉书·郭泰传》。汉代的孟敏曾把甑失手摔破了，然后头也不回地走了，别人问他为何不捡起来看看，他说："已经破了，看有何益？"

【原文】

王衍[①]清谈，常持麈拂[②]；横渠[③]讲《易》，每拥皋比[④]。尾生[⑤]抱桥而死，固执不通；楚妃守符[⑥]而亡，贞信可录。温峤昔燃犀[⑦]，照见水族之鬼怪；秦政有方镜[⑧]，照见世人之邪心。车载斗量[⑨]之人，不可胜数；南金东箭[⑩]之品，实是堪奇。传檄可定[⑪]，极言敌之易破；迎刃而解，甚言事之易为。以铜为鉴，可整衣冠；以古为鉴，可知兴替。

【注释】

①王衍：西晋大臣，喜谈老庄，终日清谈。

②麈（zhǔ）拂：古时驱蚊虫的工具。魏晋时，士大夫们清谈时必拿着麈拂。

③横渠：宋代哲学家张载，世称横渠先生。

④拥皋（gāo）比：坐在虎皮座椅中。皋比，虎皮垫子。

⑤尾生：坚守信约的人。战国时的尾生特别守信。一天他与自己心爱的女子相约在桥下相见，结果该女子并没有如约到达。突然大降大雨，水到他腰间时，他还在等待，最终被水淹死了。

⑥楚妃守符：春秋时，楚昭王出游，将夫人留在渐台之上，并和她约定一定派人拿着信符来接她。后来江水上涨，楚王派人来接时，使者忘记带信符，夫人因此不肯离开，结果被淹死。

⑦温峤（qiáo）昔燃犀：传说晋代大将军温峤有一次路过牛渚矶，相传水里有怪物，于是他点燃犀角，看见了各种鬼怪。

⑧秦政有方镜：传说秦始皇有方镜，能照见人的肝胆。

⑨车载斗量：指数量众多，质量却一般。

⑩南金东箭：比喻优秀的人才。

⑪传檄（xí）可定：不用出兵，一纸文书就可平定敌方。

珍宝

【原文】

山川之精英，每泄为至宝；乾坤之瑞气，恒结为奇珍。故玉足以庇嘉谷[1]，珠可以御火灾。鱼目岂可混珠，碔砆[2]焉能乱玉。黄金生于丽水[3]，白银出自朱提[4]。曰孔方、曰家兄，俱为钱号；曰青蚨、曰鹅眼[5]，亦是钱名。

【注释】

①嘉谷：五谷的总称。

②碔砆（wǔ fū）：像玉的美石。

③丽水：指金沙江出产金沙。

④朱提：朱提山，出产白银。

⑤青蚨（fú）：《搜神记》中说的一种虫子，捉住母虫，子虫就飞来；捉住子虫，母虫也飞来，将它们的血分别擦在八十一文钱上，花去其中一种留下另外一种，花出去的钱都会回来。鹅眼：南朝宋景和元年（公元465年）沈庆通私铸的钱，质量低劣，被称为鹅眼钱。

【原文】

可贵者，明月夜光之珠；可珍者，璠玙琬琰[1]之玉。宋人以燕石为玉[2]，什袭缇巾[3]之中；楚王以璞玉[4]为石，两刖卞和[5]之足。惠王之珠[6]，光能照乘；和氏之璧，价重连城。鲛人[7]泣泪成珠，宋人削玉为楮[8]。贤乃国家之宝，儒为席上之珍[9]。王者聘贤，束帛加璧[10]；真儒抱道[11]，怀瑾握瑜[12]。雍伯[13]多缘，种玉于蓝田而得美妇；太公[14]奇遇，钓璜[15]于渭水而遇文王。

【注释】

①璠玙（fán yú）琬琰（wǎn yǎn）：美玉。

②燕石为玉：宋国有一个人捡到一块光洁如玉的石头，把它当作玉，十分珍惜，并用多重黄色的丝巾包藏起来。后来有人说那只是块普通石头，根本不贵重。宋人听了大怒，认为客人没安好心，依然妥善地收藏这块石头。

③缇（tí）巾：黄色的丝巾。

④璞（pú）玉：在石头中尚未雕琢的玉。

⑤刖（yuè）：古代酷刑，把人的脚砍掉。卞和：楚国人，他曾得到一块璞玉，于是献给楚厉王和楚武王，他们都认为那只是块普通的石头，于是判卞和欺君之罪，先后砍去了他的双脚。后来楚文王即位后，剖开璞玉，果真得到一块美玉，这就是和氏璧。

⑥惠王之珠：战国时的魏惠王，曾吹嘘自己有能照亮前后十二乘车的明珠十颗。

⑦鲛（jiāo）人：传说海底有人鱼，其泪滴可以变成珍珠。

⑧削玉为楮（chǔ）：宋国有个人能用玉雕楮树叶，与真楮叶放在一起，难辨真假。

⑨儒为席上之珍：孔子说过的话，意思是儒者就如珍宝一样等待人来任用。

⑩束帛加璧：帛加上玉璧，是很贵重的礼物。

⑪真儒抱道：真正的儒者会坚持真理。

⑫瑾、瑜：美玉。

⑬雍伯：应是晋代人杨伯雍。

⑭太公：即姜尚，辅佐周朝灭殷取天下。

⑮璜（huáng）：古代一种玉器，贵族朝聘、祭祀时用的礼器。

【原文】

剖腹藏珠，爱财而不爱命；缠头作锦[①]，助舞而更助娇。孟尝廉洁，克俾合浦还珠[②]；相如忠勇，能使秦廷归璧[③]。玉钗作燕飞[④]，汉宫之异事；金钱成蝶舞[⑤]，唐库之奇传。广钱固可以通神[⑥]，营利乃为鬼所笑[⑦]。以小致大，谓之抛砖引玉[⑧]；不知所贵，谓之买椟还珠[⑨]。贤否罹害[⑩]，如玉石俱焚；贪婪无厌，虽锱铢必算[⑪]。

【注释】

①缠头作锦：古时舞女表演时缠在头上的装束，也指赠给舞女的钱财。

②合浦还珠：东汉时，广西合浦不产粮食产珍珠，当地人用其和交趾交换粮食，结果因历届太守贪婪无度，开采不知节制，珍珠都迁到交趾境内。后来孟尝担任合浦太守，他为人十分清廉，于是珍珠又慢慢迁回来了。

③秦廷归璧：战国时，秦王得知赵王得到了稀世珍宝和氏璧，想以十五座城池与他交换。赵王派蔺相如出使秦国，秦王拿到和氏璧后，绝口不提城池的事。蔺相如怀抱和氏璧，怒斥秦王，事后又派人连夜将和氏璧送回国内。

④玉钗作燕飞：汉武帝曾在甘泉宫筑招仙台。当时有仙女赠他一枚玉钗，汉武帝送给了赵婕妤，后来玉钗变成白燕飞走了。

⑤金钱成蝶舞：传说唐穆宗时，宫中牡丹花竞相绽放，香气袭

人，每天晚上都有数万只黄色或白色的蝴蝶在花间飞舞，皇帝命人张网捕到数百只，仔细一看，竟然是府库的金钱。

⑥广钱固可以通神：唐代张延审理一个案子时，有人给他送去一万钱，要他别再过问此案，张延没有理会。第二天，又有人给他送来十万钱，他说道：“十万钱就可以买通神灵，我担心遭受灾祸，不能不管了。”

⑦营利乃为鬼所笑：南朝刘伯龙做官多年，家里很贫穷，他想赚点钱养家，于是做起了小生意，结果被旁边一个鬼拍手笑话，刘伯龙叹息说：“贫穷是我的天命，结果今天竟被鬼笑话。”

⑧抛砖引玉：比喻自己先发表粗浅见解，以引出别人的高见，是自谦的说法。相传唐代人赵嘏很有名，常建想得到他的诗，知道他一定会游览灵岩寺，于是先题诗在寺庙墙壁上。赵嘏游寺见到后，又补上二句以成一绝。常建的诗不及赵嘏，时人就说常建之举是“抛砖引玉”。

⑨买椟（dú）还珠：楚国有个商人到郑国去卖珍珠，为了招徕生意，他特意将匣子装扮了一番，用木兰雕刻，用桂椒熏，用珠玉和花朵装饰，再配以翡翠。结果有个郑人买下椟，却把珍珠还给了他。

⑩贤否（pǐ）罹（lí）害：贤者与不贤的人一同遭难。

⑪锱铢（zī zhū）必算：斤斤计较。锱铢，极小的重量单位。

【原文】

崔烈以钱买官[①]，人皆恶其铜臭；秦嫂不敢视叔[②]，自言畏其多金。熊衮父亡，天乃雨钱助葬[③]；仲儒家窘，天乃雨金济贫[④]。汉杨震[⑤]畏四知而辞金，唐太宗因惩贪而赐绢[⑥]。晋鲁褒作《钱神论》，尝以钱为孔方兄；王夷甫口不言钱，乃谓钱为阿堵物[⑦]。然而床头金尽，壮士无颜；囊内钱空，阮郎羞涩[⑧]。但匹夫不可怀璧，人生孰不爱财。

【注释】

①崔烈以钱买官：汉灵帝时卖官成风，当时的名士崔烈用五百万钱买了司徒的官职，结果他的儿子崔均对他说："外面的人都嫌弃你一身铜臭味。"

②秦嫂不敢视叔：传说苏秦落魄时，他的嫂子不给他做饭，等他受到赵王重用后，路过家乡，他的嫂子跪在地上不敢抬头见他。苏秦问她为何如此，他的嫂子说："因为你现在地位高，而且有钱财。"

③雨钱助葬：唐代御史熊衮（gǔn），为人清廉而家贫。他为人极孝顺，因此父亲死后，上天连降三天的铜钱帮他安葬。结果他将剩余的铜钱都交给了官府，邻居们捡到的钱也化作了泥土。

④雨金济贫：传说汉朝人翁仲儒家里非常贫穷，有一天上天降下十斛金给他家，因此他变得富比王侯。

⑤杨震：东汉人，曾经推荐王密为邑令，王密晚上想要赠给他黄金，说："不用担心别人知道。"杨震却回答说："天知，地知，你知，我知，何谓无知。"

⑥惩贪而赐绢：唐太宗长孙皇后的族叔长孙顺德接受了别人贿赂的绢，被发现后，唐太宗又赐给了他十匹绢，以使他羞愧。

⑦阿堵物：西晋大臣王衍一生不谈钱或说"钱"字。一次，他的妻子故意将钱放在屋中并挡住他走路，想逼他说"钱"字。结果王衍看见了之后，因钱堵住他的去路，就让他妻子把那堵物拿走。

⑧阮郎羞涩：晋代人阮孚带一个黑色包囊去会稽游玩，有人问他口袋中是何物，阮孚说："只有一文钱看守着口袋，因为我怕它空了感到羞涩。"

贫富

【原文】

命之修短[①]有数，人之富贵在天。惟君子安贫，达人知命。贯朽粟陈，称羡财多之谓；紫标黄榜[②]，封记钱库之名。贪爱钱物，谓之钱愚；好置田宅，谓之地癖[③]。守钱虏，讥蓄财而不散；落魄夫，谓失业之无依。贫者地无立锥[④]，富者田连阡陌[⑤]。室如悬磬[⑥]，言其甚窘；家无儋石[⑦]，谓其极贫。

【注释】

①修短：长短。

②紫标黄榜：钱库封条。

③地癖（pǐ）：唐代的李憕喜欢置办田产，人称地癖。

④立锥：地方小。

⑤阡陌（qiān mò）：田间交错的小路。

⑥悬磬（qìng）：家里悬着磬。磬，乐器，中空。形容很贫穷。

⑦儋（dān）石：古代容量单位，十斗是一石，两石为一儋。

【原文】

无米曰在陈[①]，守死曰待毙。富足曰殷实，命蹇曰数奇[②]。苏涸鲋[③]，乃济人之急；呼庚癸[④]，是乞人之粮。家徒壁立，司马相如之贫；扊扅为炊[⑤]，秦百里奚[⑥]之苦。鹄形菜色[⑦]，皆穷民饥饿之形；炊骨爨骸[⑧]，谓军中乏粮之惨。饿死留君臣之义，伯夷叔齐；资财敌王公之富，陶朱猗顿[⑨]。石崇杀妓以侑酒[⑩]，恃富行凶；何曾一食费万钱，奢侈过甚。

【注释】

①在陈：孔子周游列国时，在陈被围困，断粮七天。

②蹇（jiǎn）：不顺利。数奇（jī）：命运不好。奇，单，总和好事合不上。

③苏涸鲋（hé fù）：使车辙中快干枯的小鱼复生。比喻亟待救援的人或物。鲋，小鱼。

④呼庚癸（guǐ）：古时军中粮食的隐语。后表示借粮。

⑤扊扅（yǎn yí）为炊：用门闩烧火做饭。比喻家贫。扊扅，门闩。

⑥百里奚：春秋时秦国大夫百里奚。

⑦鹄（hú）形菜色：脸瘦长，因吃青菜，脸色不好。鹄，天鹅。

⑧炊骨爨（cuàn）骸（hái）：指军中无粮，只好用人或马的骸骨来做饭。

⑨陶朱：指范蠡，经商成为巨富，自号陶朱公。猗顿：春秋时鲁国贫士，听说范蠡经商致富，于是请教致富之道，后来很快便富裕了。

⑩侑（yòu）酒：劝人喝酒。

【原文】

二月卖新丝，五月粜新谷，真是剜肉医疮[1]；三年耕而有一年之食，九年耕而有三年之食，庶几[2]遇荒有备。贫士之肠习藜苋[3]，富人之口厌膏粱[4]。石崇以蜡代薪[5]，王恺以饴沃釜[6]。范丹釜中生鱼，破甑生尘[7]；曾子捉襟见肘，纳履决踵[8]。子路衣敝缊袍[9]，与轻裘[10]立，贫不胜言；韦庄数米而炊[11]，称薪而爨，俭有可鄙。总之饱德之士，不愿膏粱；闻誉之施，奚图文绣[12]？

【注释】

①剜肉医疮：比喻只顾眼前，不顾以后。

②庶几：差不多。

③藜苋（lí xiàn）：藜藿和苋菜。形容生活艰苦。

④膏粱：指肥肉和精米。

⑤以蜡代薪：晋代石崇曾用蜡代替柴薪烧火。

⑥以饴（yí）沃釜：晋代王恺曾用饴糖洗锅做饭。

⑦釜中生鱼，破甑（zèng）生尘：东汉时人范丹家里很穷，经常断炊，他却不以为意。家乡的人讥笑他说："甑中生尘范史云，釜中生鱼范莱芜。"形容生活很贫困。鱼，小虫子。

⑧捉襟见肘，纳履决踵：相传孔子弟子曾参在卫国时，生活非常贫苦。他十年不做一件衣服，整理衣服时，臂肘就露了出来，穿的鞋子露出脚后跟。形容衣衫破旧。引申为处境困难，顾此失彼。

⑨缊（yùn）袍：穷人穿的用乱麻旧棉做的袍子。

⑩轻裘：暖而贵的狐皮大衣。

⑪数米而炊：数着米粒下锅，形容人吝啬。

⑫奚：何必。文绣：华服。

疾病死丧

【原文】

福寿康宁，固人之所同欲；死亡疾病，亦人所不能无。惟智者能调，达人自玉[①]。问人病曰贵体违和[②]，自谓疾曰偶沾微恙[③]。罹[④]病者，甚为造化小儿所苦；患疾者，岂是实沈台骀[⑤]为灾？病不可为，曰膏肓[⑥]；平安无事，曰无恙。采薪之忧[⑦]，谦言抱病；河鱼之患[⑧]，系是腹疾。可以勿药，喜其病安；厥疾勿瘳[⑨]，言其病笃[⑩]。疟不病君子[⑪]，病君子正为疟耳；卜所以决疑，既不疑复何卜哉。

【注释】

①玉：珍重。

②违和：身体失调生病。

③微恙：小毛病。

④罹（lí）：遭受。

⑤实沈（chén）、台骀（dài）：传说中的参宿之神、汾水之神，能让人生病。

⑥膏肓：用于指代难以医治的疾病。膏（gāo），中医中称心下的部位。肓（huāng），中医称心脏和膈膜之间。

⑦采薪之忧：患病不能外出砍柴。

⑧河鱼之患：因为鱼腐烂是从腹部开始，所以用它代指腹泻。

⑨厥疾勿瘳（chōu）：那个病不好痊愈。厥，那个。瘳，痊愈。

⑩病笃（dǔ）：病重。

⑪疟（nüè）不病君子：晋朝有一个小孩的父亲得了疟疾，他去买药时，有人问他，为什么他父亲那样的君子，还会得疟疾呢？小孩回答说："正因为它侵扰君子，所以才叫疟疾（比喻虐人的小人）。"

【原文】

谢安梦鸡①而疾不起，因太岁之在酉；楚王吞蛭②而疾乃痊，因厚德之及人。将属纩、将易箦③，皆言人之将死；作古人、登鬼箓④，皆言人之已亡。亲死则丁忧⑤，居丧则读礼⑥。在床谓之尸，在棺谓之柩。报丧书曰讣⑦，慰孝子曰唁⑧。往吊曰匍匐⑨，庐墓曰倚庐⑩。寝苫枕块⑪，哀父母之在土；节哀顺变，劝孝子之惜身。男子死曰寿终正寝⑫，女人死曰寿终内寝⑬。

【注释】

①谢安梦鸡：晋代的谢安一次梦见乘坐大将军桓温的车子走了十六里，然后看见一只白鸡就停下了。他不知何意，直到他接替桓温做了宰相，十六年后忽然得病，谢安才明白，原来十六里就意味着十六年，见到白鸡而止，意思是到酉年就结束了，不久他果然病死了。

②楚王吞蛭（zhì）：楚王吃饭时吃到一条水蛭，他想吐出来又怕厨师因此获罪，就勉强咽了进去，后来因此得了病。令尹了解缘由后，就对楚王说："大王您的德行如此光明，这个病不会对您有伤害。"后来楚王果然好了。

③属纩（zhǔ kuàng）：将绵放在临死之人的鼻子下，查看他是否断气。易箦（zé）：人将死时换下竹席。

④鬼箓（lù）：古时说阴间死人的名册。

⑤丁忧：父母去世，为他们守丧。丁，遭逢。

⑥读礼：守丧在家时，要读有关丧葬祭祀的礼书。

⑦讣（fù）：报丧文书。

⑧唁（yàn）：慰问死者的家属。

⑨匍匐：爬行，这里指前往吊唁。

⑩倚庐：古代人守丧时在父母墓边搭小屋居住。

⑪寝苫（shān）枕块：古礼要求子女在父母去世直到下葬期间，不能住在屋子里，而是睡草席，枕土块。

⑫正寝：住宅正屋。

⑬内寝：内室。

【原文】

天子死曰崩，诸侯死曰薨，大夫死曰卒，士人死曰不禄，庶人死曰死，童子死曰殇[①]。自谦父死曰孤子，母死曰哀子，父母俱死曰孤哀子[②]；自言父死曰失怙，母死曰失恃，父母俱死曰失怙恃[③]。父死何谓考[④]？考者成也，已成事业也；母死何谓妣[⑤]？妣者媲也，克媲父美[⑥]也。百日内曰泣血，百日外曰稽颡[⑦]。期年曰小祥[⑧]，两期曰大祥[⑨]。不缉曰斩衰[⑩]，缉之曰齐衰[⑪]，论丧之有轻重；九月为大功，五月为小功，言服之有等伦。三月之服曰缌麻[⑫]，三年将满曰禫礼[⑬]。

【注释】

①崩、薨（hōng）、卒、不禄、死、殇（shāng）：古代不同地位之人的死亡有不同说法。

②孤子、哀子、孤哀子：自称。

③怙（hù）恃：依赖。

④考：称已去世的父亲。

⑤妣（bǐ）：称已去世的母亲。

⑥克媲（pì）父美：可以和父亲媲美。

⑦稽颡（jī sǎng）：叩头。屈膝下拜，以额触地，非常虔诚。

⑧期（jī）年：一周年。小祥：父母去世后的周年祭礼。

⑨大祥：父母去世后的两周年祭礼。

⑩斩衰（cuī）：没有缝边的丧服。衰，古代丧服，用粗麻布做成。有五种，即斩衰、齐衰、大功、小功、缌麻，与死者关系不同，穿着也不同。其中大功穿九个月，小功穿五个月，缌麻穿三个月。

⑪齐衰：缝边的丧服。

⑫缌（sī）麻：用细麻布做成的丧服。

⑬禫（dàn）礼：除去丧服举行的祭祀。

【原文】

孙承祖服，嫡孙杖期[①]；长子已死，嫡孙承重。死者之器曰明器[②]，待以神明之道；孝子之杖曰哀杖[③]，为扶哀痛之躯。父之节在外，故杖取乎竹；母之节在内，故杖取乎桐。以财物助丧家，谓之赙[④]；以车马助丧家，谓之赗[⑤]；以衣殓死者之身，谓之襚[⑥]，以玉实死者之口，谓之琀[⑦]。送丧曰执绋[⑧]，出柩曰驾輀[⑨]。吉地曰牛眠地[⑩]，筑坟曰马鬣封[⑪]。墓前石人，原名翁仲[⑫]；柩前功布[⑬]，今曰铭旌[⑭]。

【注释】

①杖期：拄一年哀杖。

②明器：陪葬的器物。

③哀杖：古时孝子因居丧期间，身体衰弱，所以拄杖支撑。古代居父丧用竹杖，居母丧用桐木杖。

④赙（fù）：送人财物办丧事。

⑤赗（fèng）：送人车马办丧事。

⑥襚（suì）：给死者穿的衣被。

⑦琀（hàn）：通“唅”，放在死者口中的玉。

⑧绋（fú）：拴在棺木上的绳子。

⑨轜（ér）：丧车。

⑩牛眠地：晋代陶侃的父亲去世还未下葬，家中的老牛忽然不见了。后来有一位老者告诉他看见一头牛睡在前岗的泥污中，如果把人葬在那里，那么后代一定会做大官。

⑪马鬣（liè）封：坟墓封土的一种形状。

⑫翁仲：传说秦代大将阮翁仲身材非常高大，秦始皇命他出征匈奴。他死后，秦始皇为他铸铜像，并立于咸阳宫外。于是后人就把庙堂宫阙和陵墓前的铜人、石人称为翁仲。

⑬功布：古代丧礼中的迎神之布。

⑭铭旌：标明死者官职和姓名的旗幡，竖在灵柩前。

【原文】

挽歌[①]始于田横，墓志创于傅奕。生圹曰寿藏[②]，死墓曰佳城。坟曰夜台[③]，圹曰窀穸[④]。已葬曰瘗玉[⑤]，致祭曰束刍[⑥]。春祭曰禴，夏祭曰禘，秋祭曰尝，冬祭曰烝[⑦]。饮杯棬[⑧]而抱痛，母之口泽[⑨]如存；读父书以增伤，父之手泽未泯。子羔悲亲而泣血，子夏哭子而丧明。王裒[⑩]哀父之死，门人因废《蓼莪》诗；王修哭母之亡，邻里遂停桑柘社[⑪]。树欲静而风不息，子欲养而亲不在，皋鱼增感；与其椎牛[⑫]而祭墓，不如鸡豚之逮存，曾子兴思。故为人子者，当思木本水源，须重慎终追远。

【注释】

①挽歌：送葬时所唱的哀歌。

②寿藏：人活着时修的坟。

③夜台：指墓中昏暗。

④窀穸（zhūn xī）：墓穴。

⑤瘗（yì）玉：埋玉于坑，后指下葬。

⑥束刍：将捆成束的青草放在墓前。

⑦禴（yuè）、禘（dì）、尝、烝：古代宗庙四时的祭祀名。

⑧杯棬（quān）：曲木制成的杯子。

⑨口泽：津液。

⑩王裒（póu）：西晋人，他一读到《诗经·小雅》中怀念父母的《蓼莪（liǎo é）》篇时就非常悲痛，其中有“哀哀父母，生我劬劳”的句子。

⑪桑柘（zhè）社：指社祭。桑柘，农桑之事。

⑫椎牛：杀牛。

卷　四

文事

【原文】

多才之士，才储八斗；博学之儒，学富五车。三坟五典[①]，乃三皇五帝之书；八索九丘[②]，是八泽九州之志。《书经》载上古唐虞三代之事，故曰《尚书》；《易经》乃姬周文王、周公所系，故曰《周易》。二戴[③]曾删《礼记》，故曰《戴礼》；二毛[④]曾注《诗经》，故曰《毛诗》。孔子作《春秋》，因获麟而绝笔[⑤]，故曰《麟经》。荣于华衮[⑥]，乃《春秋》一字之褒；严于斧钺[⑦]，乃《春秋》一字之贬。缣缃黄卷[⑧]，总谓经书；雁帛鸾笺[⑨]，通称简札[⑩]。

【注释】

①三坟五典：传说中我国最早的书籍。后人认为“三坟”是伏羲、神农、黄帝的书；“五典”是少昊、颛顼、高辛、尧、舜的书。

②八索九丘：古书名。

③二戴：指西汉的戴德、戴圣叔侄，曾增删《礼记》。

④二毛：指西汉毛亨、毛苌二人，曾注释《诗经》。

⑤获麟而绝笔：孔子编写《春秋》时，鲁国人捕获一只麒麟。因麒麟是仁兽，孔子很伤心就不写了。

⑥华衮（gǔn）：古代王公的礼服。表示荣宠不绝。

⑦斧钺（yuè）：古代酷刑的一种，砍头之刑。

⑧缣缃（jiān xiāng）：浅黄色的细绢，保护书。黄卷：指佛道经书。

⑨雁帛：书信。鸾笺（jiān）：印有鸾凤的信纸。

⑩简札：书写的竹简和木片。

【原文】

锦心绣口，李太白之文章；铁画银钩[①]，王羲之之字法。雕虫小技，自谦文学之卑；倚马可待[②]，羡人作文之速。称人近来进德，曰士别三日，当刮目相看；羡人学业精通，曰面壁九年[③]，始有此神悟。五凤楼手[④]，称文字之精奇；七步奇才，羡天才之敏捷。誉才高，曰今之班马[⑤]；羡诗工，曰压倒元白[⑥]。汉晁错[⑦]多智，景帝号为智囊；王仁裕多诗，时人谓之诗窖[⑧]。骚客即是诗人，誉髦[⑨]乃称美士。自古诗称李杜[⑩]，至今字仰钟王[⑪]。

【注释】

①铁画银钩：形容书法刚健柔美。

②倚马可待：靠着战马起草文件，可以等着完稿。形容才思敏捷。

③面壁九年：面对墙壁静修。比喻在学习上下狠功夫。

④五凤楼手：借喻文章写得好的人。

⑤班马：指汉代两位史学家班固和司马迁。

⑥元白：指唐代诗人元稹和白居易。

⑦晁（cháo）错：西汉文帝的智囊人物，善于分析辩论。

⑧诗窖：比喻诗才满腹。

⑨誉髦（máo）：英杰之士。

⑩李杜：指李白、杜甫。

⑪钟王：指三国时书法家钟繇和晋代书法家王羲之。

【原文】

白雪阳春，是难和难赓[①]之韵；青钱万选[②]，乃屡试屡中之文。惊神泣鬼，皆言词赋之雄豪；遏云绕梁[③]，原是歌音之嘹亮。涉猎不精，是多学之弊；咿唔呫毕[④]，皆读书之声。连篇累牍[⑤]，总说多文；寸楮尺素[⑥]，通称简札。以物求文，谓之润笔[⑦]之资；因文得钱，乃曰稽古之力。文章全美，曰文不加点；文章奇异，曰机杼一家[⑧]。应试无文，谓之曳白[⑨]；书成绣梓[⑩]，谓之杀青[⑪]。袜线[⑫]之才，自谦才短；记问之学[⑬]，自愧学肤[⑭]。裁诗[⑮]曰推敲，旷学曰作辍[⑯]。

【注释】

①难赓（gēng）：难以继续。

②青钱万选：青钱是铜钱中最贵重的一种，可以万选万中。比喻科举中文章出众。

③遏云绕梁：歌声非常动听，以至于浮云都停下来静听，似余音绕着屋梁，不愿散去。遏，停止。

④咿唔（yī wú）：读书声。呫毕：诵读声。

⑤累牍（dú）：形容文字很多。牍，竹木简。

⑥寸楮（chǔ）：名片、书信。尺素：小幅的绢帛，引申为书信。

⑦润笔：泛指请人写文章、写字作画的报酬。

⑧机杼（zhù）一家：指所写文章自成一派。机杼，织布机。

⑨曳（yè）白：考试交白卷。

⑩绣梓（zǐ）：刻印。

⑪杀青：古代用竹简写字，要先把竹子里的水分烤出来，然后

去掉青皮，以防虫蛀。

⑫袜线：比喻艺多而没有精通的。也比喻才学肤浅。

⑬记问之学：只是死记硬背书本内容，没有自己的独立见解。

⑭学肤：学问浅薄。

⑮裁诗：作诗。

⑯作辍（chuò）：时作时停。

【原文】

文章浮薄，何殊月露风云[①]；典籍储藏，皆在兰台石室[②]。秦始皇无道，焚书坑儒；唐太宗好文，开科取士[③]。花样不同，乃谓文章之异；潦草塞责，不求辞语之精。邪说曰异端，又曰左道[④]；读书曰肄业[⑤]，又曰藏修[⑥]。作文曰染翰操觚[⑦]，从师曰执经问难[⑧]。求作文，曰乞挥如椽笔[⑨]；羡高文，曰才是大方家[⑩]。竞尚佳章，曰洛阳纸贵[⑪]；不嫌问难，曰明镜不疲[⑫]。称人书架曰邺架[⑬]，称人嗜学曰书淫[⑭]。

【注释】

①月露风云：比喻华而不实的辞藻。

②兰台：汉代宫内藏书的地方。石室：古代收藏图书档案之处。

③开科取士：指古代举行科举考试以选取士人。

④左道：指邪门歪道，不正当的方法和路径。

⑤肄（yì）业：古代指修习课业。现在则指没能毕业或尚未毕业。

⑥藏修：专心读书学习。

⑦染翰操觚（gū）：提笔作文。翰，毛笔。操觚，执简写字。

⑧执经问难：手拿经书，向老师提问。

⑨如椽（chuán）笔：大手笔。

⑩大方家：本意是懂得大道的人，后来泛指博学多才或有专长的人。

⑪洛阳纸贵：比喻作品广为流传。晋代文学家左思在写出《三都赋》后，洛阳城内的豪富之家竞相买纸传抄，纸价因此大涨。

⑫明镜不疲：明镜不因频繁地照人而疲劳。比喻智慧不会因常用而受损害。

⑬邺（yè）架：唐代李泌被封为邺侯，他藏书三万册，所以称书架为邺架。

⑭书淫：沉迷于读书的人。

【原文】

白居易生七月，便识“之”“无”二字；唐李贺才七岁，作《高轩过》一篇。开卷有益，宋太宗之要语；不学无术，汉霍光之为人。汉刘向校书于天禄①，太乙燃藜②；赵匡胤代位于后周，陶谷出诏③。江淹梦笔生花，文思大进；扬雄梦吐白凤④，词赋愈奇。李守素⑤通姓氏之学，敬宗名为人物志；虞世南⑥晰古今之理，太宗号为行秘书。茹古含今⑦，皆言学博；咀英嚼华，总曰文新。文望尊隆，韩退之若泰山北斗⑧；涵养纯粹，程明道⑨如良玉精金。李白才高，咳唾随风生珠玉；孙绰⑩词丽，诗赋掷地作金声。

【注释】

①天禄：天禄阁，存放重要档案和图书的地方。

②太乙燃藜（lí）：传说汉代刘向元宵节时一人在天禄阁校书时，天神太乙前来拜访，并吹燃拐杖头为他照明。形容发奋学习。

③陶谷出诏：宋太祖赵匡胤即位时，没有后周恭帝的禅位诏

书。当时任翰林学士的陶谷早就看出他的心思，于是暗中写好诏书，这时就从袖中拿出宣读，赵匡胤得以顺利即位。

④梦吐白凤：相传扬雄写《太玄经》时，梦见自己吐出一只白凤。

⑤李守素：唐代赵州（今河北赵县）人，世代为山东名族。

⑥虞世南：唐代诗人，字伯施，凌烟阁二十四功臣之一，唐初书法家、文学家。

⑦茹古含今：博古通今，形容知识丰富。茹，覆盖。“含今”又作“涵今”。

⑧韩退之：唐代文学家韩愈，字退之。泰山北斗：比喻德行高、名望重的人。

⑨程明道：宋代理学家程颢，人称明道先生。

⑩孙绰（chuò）：字兴公，东晋诗人、书法家。《世说新语》记载：“孙兴公作《天台赋》成，以示范荣期云：‘卿试掷地，要作金石声。’”形容作品语句优美。

科第

【原文】

士人入学曰游泮[①]，又曰采芹[②]；士人登科曰释褐[③]，又曰得隽[④]。宾兴[⑤]即大比之年，贤书[⑥]乃试录之号。鹿鸣[⑦]宴，款文榜之贤；鹰扬[⑧]宴，待武科之士。文章入式，有朱衣以点头[⑨]；经术既明，取青紫如拾芥[⑩]。其家初中，谓之破天荒[⑪]；士人超拔，谓之出头地[⑫]。

【注释】

①泮（pàn）：学校。古代学宫中有泮水，所以学校称泮宫。

②采芹：入学的弟子可以采摘水中的芹菜，所以入学称采芹。

③释褐：脱掉粗布衣服，即进士及第可做官。

④得隽：应试及第。

⑤宾兴：指乡试。

⑥贤书：辑录贤才的书。

⑦鹿鸣：《诗经》中宴请宾客的篇名，后指皇帝为科举录取者设的宴会。

⑧鹰扬：指武科乡试后的宴会。

⑨朱衣以点头：欧阳修做考官阅卷时，感觉有位红衣老人在身边，凡老人点头的文章就合格，于是他作诗道：“文章自古无凭据，惟愿朱衣暗点头。”

⑩取青紫如拾芥：穿上官服就像拾取一根草一样容易。

⑪破天荒：唐代荆州多年都没有出过进士，人称是“天荒”。后来有位叫刘蜕的考生终于考中了，总算破了“天荒”。

⑫出头地：欧阳修因赏识苏轼的才华，认为他将要超越自己。

【原文】

中状元，曰独占鳌头①；中解元，曰名魁虎榜②。琼林赐宴③，宋太宗之伊始；临轩问策④，宋神宗之开端。同榜之人，皆是同年⑤；取中之官，谓之座主⑥。应试见遗，谓之龙门点额⑦；进士及第，谓之雁塔题名⑧。贺登科，曰荣膺鹗荐⑨；入贡院，曰鏖战棘闱⑩。金殿唱名曰传胪⑪，乡会放榜曰撤棘⑫。

【注释】

①独占鳌（áo）头：科举进士发榜时，状元站在宫殿门前鳌鱼浮雕的台阶上。后指考中状元。

②魁：居首，第一名。虎榜：龙虎榜，即进士榜。

③琼林赐宴：宋太宗开始在琼林苑宴请新科进士。琼林，宋代内苑琼林苑。

④临轩问策：皇帝亲自在殿前策问考试。

⑤同年：科举考试中同一年被录取的人。

⑥座主：唐朝时进士对主考官的尊称。

⑦龙门点额：传说黄河的鲤鱼到三月时要跳龙门，跳过去的就化为龙，否则被点额而还。比喻科考落第或仕途失意。

⑧雁塔题名：唐代自中宗神龙年间开始，中进士的人都要在朝廷宴罢后，到慈恩寺大雁塔下题名。

⑨鹗（è）荐：汉代孔融曾向皇帝推荐祢衡，赞美他是鹗，是很有能力的人。指推举贤才。

⑩鏖（áo）战：激烈的战斗。棘闱（wéi）：古代对科举考场的称呼。

⑪传胪（lú）：科举考试，殿试后由皇帝亲自宣读登第进士名次，这种典礼叫皇传胪。

⑫撤棘：撤掉考场四周的围棘，即科举考试结束。

【原文】

攀仙桂[①]，步青云[②]，皆言荣发；孙山外[③]，红勒帛[④]，总是无名。英雄入吾彀[⑤]，唐太宗喜得佳士；桃李属春官[⑥]，刘禹锡贺得门生。薪，采也，槱，积也。美文王作人之诗，故考士谓之薪槱[⑦]之典；汇，类也，征，进也，是连类同进之象，故进贤谓之汇征之途。赚了英雄，慰人下第[⑧]；傍谁门户[⑨]，怜士无依。虽然，有志者事竟成，伫看[⑩]荣华之日；成丹者火候到，何惜烹炼之功。

【注释】

①攀仙桂：指科举登科。

②步青云：指科举中第。

③孙山外：比喻科举落榜。宋朝苏州人孙山和一个同乡一起去参加科举考试，同乡落榜。回家后，那位同乡的父亲问孙山他的儿子考得怎么样，孙山说："解名尽处（最后一名）是孙山，贤郎更在孙山外。"

④红勒帛：宋代刘几写文章说话很不注意，常常过头，欧阳修很讨厌这种行为，于是用红笔在其文章上划一个大横杠。后来用红笔涂抹文章就叫红勒帛。

⑤英雄入吾彀（gòu）：指人才都被自己笼络网罗过来了。

⑥桃李：比喻栽培后辈门生。春官：指古代主持考试的礼部。

⑦薪槱（yǒu）：储藏木柴备用。比喻选拔人才。

⑧赚了英雄，慰人下第：安慰人落第的话。

⑨傍谁门户：指无所依靠。

⑩伫看：将会看到。

制作

【原文】

上古结绳记事，苍颉[①]制字代绳。龙马负图，伏羲因画八卦[②]；洛龟呈瑞[③]，大禹因别九畴[④]。历日是神农所为，甲子乃大挠[⑤]所作。算数作于隶首，律吕[⑥]造自伶伦。甲胄[⑦]舟车，系轩辕之创始；权量衡度[⑧]，亦轩辕[⑨]之立规。伏羲氏造网罟[⑩]，教佃渔以赡民用[⑪]；唐太宗造册籍[⑫]，编里甲[⑬]以税田粮。

【注释】

①苍颉（jié）：传说中黄帝的史官，汉字的创造者。

②龙马负图，伏羲因画八卦：传说上古时候有龙马出现在黄河中，它的背上有五十五个阴阳点，伏羲氏据此画出八卦。

③洛龟呈瑞：相传大禹治水时，有神龟负文出现在洛河上。

④九畴（chóu）：九类治理天下的大法。

⑤大挠（náo）：与后面的隶首、伶伦都是黄帝时的大臣。

⑥律吕：音乐。“六律”和“六吕”的合称。

⑦甲胄（zhòu）：铠甲和头盔。

⑧权量衡度：权，秤锤。衡，秤杆。量，计量容积的容器。度，计量长度的工具。

⑨轩辕：黄帝。

⑩罟（gǔ）：网。

⑪教佃渔以赡民用：教百姓狩猎、捕鱼。赡，周济。

⑫册籍：指户籍和田亩册。

⑬里甲：社会的基层组织。

【原文】

兴贸易，制耒耜[①]，皆由炎帝；造琴瑟，教嫁娶，乃是伏羲。冠冕衣裳[②]，至黄帝而始备；桑麻蚕绩，自元妃[③]而始兴。神农尝百草，医药有方；后稷播百谷，粒食攸赖[④]。燧人氏钻木取火，烹饪初兴；有巢氏构木为巢，宫室始创。夏禹欲通神祇，因铸镛钟[⑤]于郊庙；汉明尊崇佛教，始立寺观于中朝[⑥]。周公作指南车，罗盘是其遗制；钱乐作浑天仪[⑦]，历家始有所宗。

【注释】

①耒耜（lěi sì）：农具。

②冠冕衣裳：帽子和衣服。

③元妃：黄帝的妃子嫘祖。

④攸赖：所依靠。

⑤镛（yōng）钟：大钟。

⑥立寺观于中朝：在中国创建寺庙。

⑦钱乐作浑天仪：钱乐是南朝宋的太史令钱乐之，律历学家。东汉张衡造浑天仪，钱乐之又重新铸造。

【原文】

育王得疾，因造无量宝塔[①]；秦政防胡[②]，特筑万里长城。叔孙通制立朝仪[③]，魏曹丕秩序官品[④]。周公独制礼乐，萧何造立律条[⑤]。尧帝作围棋，以教丹朱[⑥]；武王作象棋，以象战斗。文章取士[⑦]，兴于赵宋；应制以诗[⑧]，起于李唐。梨园子弟[⑨]乃唐明皇作始，《资治通鉴》乃司马光所编。笔乃蒙恬所造，纸乃蔡伦所为。凡今人之利用，皆古圣之前民[⑩]。

【注释】

①无量宝塔：传说古印度阿育王一次生病后，驱使鬼神一天一夜造了八万四千座宝塔。佛家称阿育王所造的佛塔为无量塔。

②胡：指匈奴。

③叔孙通制立朝仪：汉高祖初年，朝廷无法度，群臣饮酒争功，拔剑喧哗。叔孙通向汉高祖自荐，用古礼与秦仪制定了朝仪。从此朝堂上井井有条，再也无人喧哗了。

④秩序官品：九品中正制。

⑤萧何：汉初名相。律条：法令。

⑥丹朱：尧的儿子，荒淫无度，尧制作围棋是为陶冶他的性情。

⑦文章取士：宋神宗听从王安石的建议，更改科举法，废除诗赋、帖经、墨义，专以经义策论作为考试内容。

⑧应制以诗：以诗赋作为科举考试的主要内容。

⑨梨园子弟：泛指戏曲演员。唐玄宗曾选乐工、宫女数百人，亲自在梨园教他们乐曲。

⑩前民：开创的前人。

技艺

【原文】

医士业岐轩之术[①]，称曰国手；地师习青乌之书[②]，号曰堪舆[③]。卢医扁鹊，古之名医；郑虔崔白[④]，古之名画。晋郭璞得《青囊经》[⑤]，故善卜筮地理；孙思邈[⑥]得龙宫方，能医虎口龙鳞。善卜者，是君平詹尹[⑦]之流；善相者，即唐举子卿之亚[⑧]。推命之人即星士，绘图之士曰丹青。大风鉴[⑨]，相士之称；大工师[⑩]，木匠之誉。若王良、若造父[⑪]，皆善御之人；东方朔、淳于髡[⑫]，系滑稽[⑬]之辈。

【注释】

①岐（qí）轩之术：中医学。岐轩，岐伯与轩辕的合称。

②地师：风水先生。青乌之书：相传汉代青乌子精通相地术，著有《相冢书》，被后人奉为祖师。后来称看风水为“青乌术”。

③堪舆：即风水。堪为高处，舆为低地。

④郑虔：唐代画家，与李白、杜甫为诗酒朋友。崔白：北宋画家，擅画花竹、禽鸟，尤工秋荷凫雁。

⑤郭璞：东晋文学家，喜好阴阳卜筮之术。《青囊经》：关于天文卜筮的书，原名是《九天玄女青囊海角经》，传为郭璞序。

⑥孙思邈：唐代医学家，著有《千金要方》《千金翼方》。段成式在《酉阳杂俎》中说孙思邈曾从虎口拔去金钗，为龙点鳞疗疾。

⑦君平：严君平，名遵，西汉隐士。不愿做官，以占卜为业。詹尹：即郑詹尹，战国时楚国的卜筮官之长。

⑧唐举：也作唐莒，战国时梁国人，擅长相术。子卿：春秋时赵国相士，据传为孔子看过相。亚：同“桠”，分支。

⑨风鉴：通过外表品评人物，后指看相。

⑩工师：古时官名，主要掌管百工和手工业，即后世的木匠。

⑪王良：战国赵简子的车夫。造父：周穆王的车夫。

⑫东方朔：汉武帝时文学家，以诙谐著名，抱负很大，却未被武帝重用。淳于髡（kūn）：战国时齐国人，以滑稽、博学、善辩著称。

⑬滑稽：能言善辩。

【原文】

称善卜卦者，曰今之鬼谷[①]；称善记怪者，曰古之董狐[②]。称诹日[③]之人曰太史，称书算之人曰掌文[④]。掷骰[⑤]者，喝雉呼卢[⑥]；善射者，穿杨贯虱[⑦]。樗蒲[⑧]之戏，乃云双陆[⑨]；橘中之乐[⑩]，是说围棋。陈平作傀儡，解汉高白登之围[⑪]；孔明造木牛，辅刘备运粮之计[⑫]。公输子[⑬]削木鸢，飞天至三日而不下；张僧繇[⑭]画壁龙，点睛则雷电而飞腾。然奇技似无益于人，而百艺则有济[⑮]于用。

【注释】

①鬼谷：鬼谷子。传为战国时楚人，隐于鬼谷，擅长修身养性和纵横捭阖之术。著《鬼谷子》。

②董狐：春秋时晋国史官。

③诹（zōu）日：选择黄道吉日。诹，问询。

④掌文：古代官名，掌管文书信札。

⑤骰（tóu）：俗称色（shǎi）子。传说为三国曹植所创。

⑥喝雉（zhì）呼卢：也作“呼卢喝雉”。旧时赌徒赌博时兴奋的

丑态。

⑦穿杨：典出《战国策·西周策》。楚国的养由基箭法非常好，能够在百步之外射穿选定的杨柳叶，形容箭术高明。贯虱：箭能射中虱心。

⑧樗（chū）蒲：古代的赌博游戏，以掷骰定输赢。

⑨双陆：又称“双六”。古代的赌博游戏，据传始创于天竺，流行于曹魏。

⑩橘中之乐：典出《玄怪录·巴邛人》。相传古时有一棵橘树结了两个特别大的橘子，剖开后发现里面有两位老人在下象棋，后来就以“橘中戏”称象棋游戏。

⑪“陈平”句：汉朝初年，汉高祖刘邦讨伐韩王信，结果被匈奴冒顿围困平城白登山七天七夜。陈平查知冒顿妻阏氏（yān zhī，即王后）善妒，于是制作了一个木偶美人，舞于城上，阏氏见了之后以为是真人，怕破城之后，冒顿会纳这个美人为妾，于是退军。傀儡，木偶。

⑫“孔明”句：传说诸葛亮六出祁山讨伐曹魏，曾造木牛流马运粮。

⑬公输子：春秋时鲁国人，古代著名工匠，姓公输，名般，又称鲁班。

⑭张僧繇（yáo）：南朝梁画家，传说他擅长画龙。

⑮济：有益。

讼狱

【原文】

世人惟不平则鸣，圣人以无讼为贵。上有恤刑[1]之主，桁杨雨润[2]；下无冤枉之民，肺石风清[3]。虽囹圄[4]便是福堂，而画地亦可为狱[5]。与人构讼，曰鼠牙雀角[6]之争；罪人诉冤，有抢地吁天之惨。狴犴猛大而能守，故狱门画狴犴[7]之形；棘木外刺而里直，故听讼在棘木[8]之下。乡亭[9]之系有岸，朝廷之系有狱，谁敢作奸犯科[10]？死者不可复生，绝者不可复续，上当原情定罪[11]。

【注释】

①恤刑：不滥用刑罚。

②桁（háng）杨雨润：比喻贤明的君主不滥用刑罚，而是用仁德感化罪犯向善，犹如细雨滋润大地。桁杨，古代刑具，套在犯人的脚或脖子上。

③肺石风清：形容没有受冤告状的人。肺石，传说古代设在朝廷门外的红色石头，百姓可以敲打石头鸣冤，控诉地方官吏。

④囹圄（líng yǔ）：牢狱。

⑤画地亦可为狱：上古时民风淳朴，画个圈在地上就可以当作监牢。

⑥鼠牙雀角：比喻打官司的事。

⑦狴犴（bì àn）：传说中的一种猛兽，善于守门。

⑧棘木：法庭。

⑨乡亭：古代基层行政单位。

⑩作奸犯科：做违法乱纪的事。

⑪原情定罪：为犯人量刑定罪。

【原文】

囹圄是周狱，羑[1]里是商牢。桎梏[2]之设，乃拘罪人之具；缧绁[3]之中，岂无贤者之冤。两争不放，谓之鹬蚌相持[4]；无辜牵连，谓之池鱼受害[5]。请公入瓮，周兴自作其孽；下车泣罪[6]，夏禹深痛其民。好讼曰健讼[7]，挂告曰株连。为人解讼[8]，谓之释纷；被人栽冤，谓之嫁祸。徒配曰城旦[9]，遣戍是问军[10]。

【注释】

①羑（yǒu）：古城名，今河南汤阴北，商纣王曾囚禁周文王于此。

②桎梏（zhì gù）：脚镣手铐。郑玄注：“在手曰梏，在足曰桎。”

③缧绁（léi xiè）：也作“累绁”，逮捕犯人时用的绳索，引申为囚禁。

④鹬蚌（yù bàng）相持：“鹬蚌相持，渔翁得利”，比喻彼此相争使第三方获利。

⑤池鱼受害：源于“城门失火，殃及池鱼”，比喻无辜受到牵连。

⑥下车泣罪：也作“神禹泣罪”。传说夏禹看到一个犯罪的人，马上下车询问并哭泣，认为是自己治理国家不够好。比喻自责其失。

⑦健讼：喜欢打官司。

⑧解讼：解除诉讼。

⑨徒配：判处犯人做苦役。城旦：秦汉时的一种刑罚，强制修筑城墙。

⑩遣戍：发配犯人去守边境。问军：问罪充军。

【原文】

三尺[①]乃朝廷之法，三木[②]是罪人之刑。古之五刑，墨、劓、剕、宫、大辟[③]；今之律例[④]，笞、杖、死罪、徒、流[⑤]。上古时削木为吏[⑥]，今日之淳风安在？唐太宗纵囚归狱[⑦]，古人之诚信可嘉。花落讼庭间，草生囹圄静，歌何易[⑧]治民之简；吏从冰上立，人在镜中行，颂卢奂折狱[⑨]之清。可见治乱之药石，刑罚为重；兴平之粱肉，德教为先[⑩]。

【注释】

①三尺：古时候把法律写在三尺长的竹简上，也称“三尺法”。

②三木：古时的刑具，分别铐在犯人的颈、手、足上。

③五刑：中国古代的五种刑罚。墨：在脸上刺字涂墨。劓（yì）：割鼻子。剕（fèi）：砍断脚。宫：阉割男子的生殖器。大辟：死刑。

④律例：刑法的正条及案例。

⑤笞（chī）、杖、死罪、徒、流：隋朝到清朝的五刑。笞，用竹条鞭打。杖，用木棍杖打。死罪，斩首或绞死。徒，罚做苦役。流，流放到边境。

⑥削木为吏：古时用木头削作狱吏。相传上古民风淳朴，有人犯罪时，就把木吏放在他家中，到了审理之日，犯人自己抱着木吏去听讼。

⑦唐太宗纵囚归狱：唐太宗贞观六年（632年），他下令把死囚释放回家，并规定第二年秋天他们自行回来接受刑罚。第二年犯人

们果然都按时归狱，后来太宗就赦免了他们。

⑧何易：即何易于。唐时益昌县令，他廉洁爱民，治民有方，百姓很少打官司，监牢里长满了野草。

⑨卢奂：唐玄宗时的南海太守，清正廉明，人们不敢犯法。百姓称赞他："报案吏从冰上立，诉冤人在镜中行。"折狱：审案。

⑩"治乱之药石"四句：后汉陈寔（shí）在《政论》中写道："夫刑罚者治乱之药石也，德教者兴平之粱肉也。"粱肉，指美味佳肴。

释道鬼神

【原文】

如来释迦[①]，即是牟尼，原系成佛之祖；老聃李耳[②]，即是道君，乃为道教之宗。鹫岭、祇园[③]，皆属佛国[④]；交梨、火枣，尽是仙丹。沙门[⑤]称释，始于晋道安[⑥]；中国有佛，始于汉明帝。篯铿[⑦]即是彭祖，八百高年；许逊[⑧]原宰旌阳，一家超举。波罗[⑨]犹云彼岸，紫府[⑩]即是仙宫。曰上方、曰梵刹，总是佛场；曰真宇、曰蕊珠，皆称仙境。

【注释】

①如来释迦：即佛教创始人释迦牟尼，姓乔达摩，名悉达多，释迦族人，是古印度北部迦毗罗卫国净饭王的儿子。释迦牟尼的意思是释迦族的圣人。

②老聃（dān）李耳：老子，春秋时的思想家，道家学派的创始人。

③鹫（jiù）岭：灵鹫山，是佛陀说法的地方，在中印度。祇园：即祇树给（jǐ）孤独园，是佛陀去舍卫国说法时与僧徒的居住之处。

④佛国：指天竺，即古印度，是佛陀的出生地。

⑤沙门：梵语音译“沙门那”的简称，指僧侣、僧徒。

⑥晋道安：东晋的道安以“释”为姓，开了汉族僧尼以“释”为姓的先河。

⑦篯铿（jiān kēng）：彭祖，传说他活了八百岁。

⑧许逊：东晋人，跟随吴猛学道，传说他全家四十二口人连同房子一起升天。宋代时，被封为神功妙济真君。世称许真君或许旌阳。

⑨波罗：波罗蜜，也作“波罗伽”或“波罗蜜多”，梵语音译，意思是到达彼岸。

⑩紫府：道家仙人的住所。

【原文】

伊蒲馔①可以斋僧，青精饭②亦堪供佛。香积厨③僧家所备，仙麟脯④仙子所餐。佛图澄⑤显神通，咒莲生钵；葛仙翁⑥作戏术，吐饭成蜂。达摩⑦一苇渡江，栾巴噀酒⑧灭火。吴猛⑨画江成路，麻姑掷米成珠。飞锡挂锡⑩，谓僧人之行止；导引胎息⑪，谓道士之修持。和尚拜礼曰和南⑫，道士拜礼曰稽首⑬。

【注释】

①伊蒲馔：没有出家的男性佛教徒吃的饭。

②青精饭：用南烛叶煎汁煮出的青色米饭。道家认为能延年益寿。

③香积厨：指佛家寺院的食厨。

④仙麟脯：指仙家食品，用麒麟做的干肉。

⑤佛图澄：西晋末年来中国的天竺僧人，传说他用钵装水，烧香并念咒，钵中水生出莲花。

⑥葛仙翁：三国吴方士葛玄，晋葛洪的从祖父。相传能念咒，将口中喷出的饭变成蜜蜂，再张口，蜜蜂又飞回口中，变回了饭。

⑦达摩：菩提达摩，中国佛教禅宗创始人。传说他与梁武帝话不投机，想回江北，便用一根芦苇渡江。

⑧栾巴噀（xùn）酒灭火：传说东汉人栾巴通晓道术，一次朝

会，汉桓帝曾赐酒，栾巴没有喝下去而是向西南喷去，有人参他对皇帝不敬，皇帝于是召问他，他回答说成都有火灾，所以喷酒灭火。皇帝派人查证，果然如此。噀，喷。

⑨吴猛：晋代道士，相传有一次过江无船，他就用羽扇在江上画出一条路走过去。

⑩飞锡挂锡：佛家语。僧人远游四方要持锡杖，称飞锡。投宿时杖不能着地，必须挂起，故称挂锡。锡是僧人随身携带的锡杖。

⑪导引：中国古代一种养生方法。胎息：练气功时一种功力较深的呼吸方法。

⑫和南：梵语音译，即僧人合掌问礼。

⑬稽（qǐ）首：道士举一手行礼。

【原文】

曰圆寂[①]，曰荼毗[②]，皆言和尚之死；曰羽化，曰尸解，悉言道士之亡。女道曰巫，男道曰觋[③]，自古攸分[④]；男僧曰僧，女僧曰尼，从来有别。羽客黄冠[⑤]，皆称道士；上人比丘[⑥]，并美僧人。檀越檀那[⑦]，僧家称施主；烧丹炼汞[⑧]，道士学神仙。和尚自谦，谓之空桑子[⑨]；道士诵经，谓之步虚声[⑩]。菩者普也，萨者济也，尊称神祇[⑪]，故有菩萨之誉；水行龙力大，陆行象力大，负荷佛法，故有龙象[⑫]之称。

【注释】

①圆寂：佛家称僧尼之死。

②荼毗（tú pí）：梵语音译，焚烧之意。僧尼死后，要将尸体火化。

③觋（xí）：男巫。

④攸分：有分别。

⑤羽客：因道士能飞升成仙，故称道士为羽客。黄冠：道士戴的黄色束发之冠。代称道士。

⑥上人：对僧人的尊称。比丘：即出家的男僧。按照佛教典章，少年初受戒，称作沙弥；到二十岁，受具足戒，成为比丘。

⑦檀（tán）越檀那：梵语音译，施主之意，对世俗信徒的尊称。

⑧烧丹炼汞：道教道术之一。原指在炉火中炼制朱砂等药物以制作长生不老药。后把丹药称为外丹，把人体当作炉鼎，修炼精、气、神，称为内丹。

⑨空桑子：僧人自谦，取没有父母之意。

⑩步虚声：道士诵经的腔调，仿效神仙诵经之声。

⑪神祇（qí）：天地神灵，在天是神，在地为祇。

⑫龙象：佛教用语。本来指诸罗汉中修行勇猛且力气最大者。后来指高僧。

【原文】

儒家谓之世，释家谓之劫，道家谓之尘[①]，俱谓俗缘之未脱；儒家曰精一[②]，释家曰三昧，道家曰贞一，总言奥义之无穷。达摩死后，手携只履西归[③]；王乔朝君，舄化双凫下降[④]。辟谷[⑤]绝粒，神仙能服气炼形；不灭不生，释氏惟明心见性。梁高僧谈经入妙，可使岩石点头[⑥]，天花坠地[⑦]；张虚靖[⑧]炼丹既成，能令龙虎并伏，鸡犬俱升。藏世界于一粟，佛法何其大；贮乾坤于一壶，道法何其玄。妄诞之言，载鬼一车[⑨]；高明之家，鬼瞰其室[⑩]。

【注释】

①世、劫、尘：佛家用语。《楞严经》记载，三十年为一世，

五百年为一劫，一千年为一尘。

②精一：精诚守一。

③“达摩死后”句：达摩祖师圆寂后，被葬在熊耳山定林寺，据传北魏宋云出使西域回来时，在葱岭看见达摩提着一只鞋子说要去西天。

④“王乔朝君”句：汉朝王乔有道术，他担任县令时，朝见皇帝从不乘坐车马，一次皇帝派人查看，才知道他是把两只鞋子变成野鸭子飞到都城。舄（xì），古代一种厚底的鞋。凫（fú），野鸭。

⑤辟谷：就是断食，不吃五谷，中国古代的一种修养方法。

⑥岩石点头：相传南朝梁的高僧道生法师在苏州虎丘山讲经说法时，人们都不相信，于是他聚集了一堆石头听法，在讲《涅槃经》说万物都有佛性时，石头也跟着点头。

⑦天花坠地：传说梁武帝时的云光法师讲经感动上天，鲜花纷纷降落。

⑧张虚靖：东汉张天师张道陵的七世孙，他学长生不老之术，能降龙伏虎，炼丹升天后，鸡犬吃他剩下的药同样成仙了。

⑨载鬼一车：形容事情荒诞离奇。

⑩鬼瞰（kàn）其室：鬼神窥视富贵人家，要给他们降下灾祸。

【原文】

《无鬼论》，作于晋之阮瞻；《搜神记》，撰于晋之干宝。颜子渊、卜子夏[1]，死为地下修文郎；韩擒虎[2]、寇莱公，死作阴司阎罗王。至若土谷之神曰社稷，干旱之鬼曰旱魃[3]。魑魅魍魉[4]，山川之祟[5]；神荼郁垒[6]，啖[7]鬼之神。仕途偃蹇[8]，鬼神亦为之揶揄[9]；心地[10]光明，吉神自为之呵护。

【注释】

①颜子渊、卜子夏：孔子的学生。颜子渊，即颜回。卜子夏，即卜商，字子夏。

②韩擒虎：隋代大将，很有胆略。

③旱魃（bá）：古代传说中的旱神。

④魑魅魍魉（chī mèi wǎng liǎng）：各种鬼怪，现比喻各种坏人。

⑤祟：鬼怪祸害人。

⑥神荼郁垒：两个神仙，相传他们能够制伏恶鬼，于是人们在门上画神荼、郁垒像以驱邪。

⑦啖（dàn）：吃。

⑧仕途偃蹇（yǎn jiǎn）：仕途不顺。

⑨揶揄（yé yú）：嘲笑，辱弄。

⑩心地：佛教语。指思想、意念等。

鸟兽

【原文】

麟[1]为毛虫之长，虎乃兽中之王。麟凤龟龙，谓之四灵；犬豕与鸡，谓之三物[2]。騄駬，骅骝[3]，良马之号；太牢、大武，乃牛之称。羊曰柔毛，又曰长髯主簿；豕名刚鬣，又曰乌喙将军。鹅名舒雁，鸭号家凫。鸡有五德，故称之曰德禽；雁性随阳，因名之曰阳鸟。

【注释】

①麟：麒麟，传说中的仁兽，雄为麒，雌为麟。

②三物：古人结盟时，要饮用滴入动物血的酒盟誓，君王间用猪血，大臣间用狗血，百姓间用鸡血。

③騄駬（lù ěr）、骅骝（huá liú）：都是古代良马的名字，周穆王的八骏之一。

【原文】

家狸[1]、乌圆，乃猫之誉；韩卢、楚犷[2]，皆犬之名。麒麟驺虞[3]，皆好仁之兽；螟螣蟊贼[4]，皆害苗之虫。无肠公子[5]，螃蟹之名；绿衣使者[6]，鹦鹉之号。狐假虎威，谓借势而为恶；养虎贻患[7]，谓留祸之在身。犹豫[8]多疑，喻人之不决；狼狈[9]相倚，比人之颠连。胜负未分，不知鹿死谁手[10]；基业易主，正如燕入他家[11]。雁到南方，先至为主，后至为宾；雉名陈宝[12]，得雄则王，得雌则霸。

【注释】

①狸：野猫。

②韩卢、楚犷：古代良犬名。

③驺(zōu)虞：义兽，性仁，传说只吃死的动物，不吃生草。

④螟(míng)螣(tè)蟊(máo)贼：四种田地里的害虫。

⑤无肠公子：螃蟹壳打开后看不到肠子，古人因此称它为无肠公子。

⑥绿衣使者：相传唐玄宗曾将报告杀人凶手的鹦鹉封为绿衣使者。

⑦养虎贻患：比喻因纵容敌人而留下后患。

⑧犹豫：相传犹和豫是生性多疑的两种小兽。

⑨狼狈：相传狼前腿长，狈后腿长，必须互相扶持才能行动。后用来比喻互相勾结做坏事。

⑩鹿死谁手：不知道谁能最后取胜。鹿是猎取的对象，原指国家政权，后来也指争夺的对象。

⑪燕入他家：唐朝诗人刘禹锡在《乌衣巷》里写道："旧时王谢堂前燕，飞入寻常百姓家。"这里的乌衣巷是东晋豪门王导、谢安等豪门贵族曾经住的地方。

⑫雉名陈宝：据干宝《搜神记》记载，秦穆公时，有人捉住一个怪兽，长得像羊又像猪，准备献给穆公，这时在路上遇见两个童子，他们说怪兽的名字叫媪。想要杀它，用柏树打它的头即可。怪兽等这两个童子说完后，继续说道："这两个童子叫陈宝，抓到雄的可以称王，抓到雌的可以称霸诸侯。"于是这个人放了媪而去追逐童子，这两个童子却变成野鸡飞走了。雉，野鸡。

【原文】

刻鹄类鹜[①]，为学初成；画虎类犬，弄巧反拙。美恶不称，谓之狗尾续貂；贪图不足，谓之蛇欲吞象。祸去祸又至，曰前门拒虎，后门进狼[②]；除凶不畏凶，曰不入虎穴，焉得虎子。鄙众趋利，曰群蚁附膻[③]；谦己爱儿，曰老牛舐[④]犊。无中生有，曰画蛇添足；进退两难，曰羝羊触藩[⑤]。杯中蛇影[⑥]，自起猜疑；塞翁失马，难分祸福。龙驹凤雏[⑦]，晋闵鸿夸吴中陆士龙之异；伏龙凤雏[⑧]，司马徽称孔明庞士元之奇。

【注释】

①刻鹄（hú）类鹜（wù）：画天鹅，反而像鸭子。比喻模拟人或事物，虽不能逼真却还近似，是初学有成。鹄，天鹅。鹜，野鸭。

②前门拒虎，后门进狼：比喻刚消除灾祸，又招来祸患。

③群蚁附膻（shān）：比喻竞相追名逐利。膻，指羊肉的气味。

④舐（shì）：以舌头舔。

⑤羝（dī）羊触藩：公羊用角顶撞篱笆，结果缠在上面，进退不得。比喻陷于两难境地。羝，公羊。

⑥杯中蛇影：也作“杯弓蛇影”。晋朝人乐广十分好客，他当河南尹时请一位朋友吃饭，结果墙上有张弓的影子正好落在那位朋友的酒杯中，于是怀疑酒中有蛇，回家便生病了。乐广知道这件事后，就又请他喝酒，并告诉他杯里有蛇的原因，朋友听到后病很快就好了。形容疑神疑鬼、恐惧的样子。

⑦龙驹凤雏：龙子凤子。比喻聪颖的儿童。

⑧伏龙凤雏：三国时，司马徽称诸葛亮为“伏龙”，称庞统为“凤雏”。

【原文】

吕后断戚夫人手足，号曰人彘[①]；胡人腌契丹王尸骸，谓之帝羓[②]。人之狠恶，同于梼杌[③]；人之凶暴，类于穷奇[④]。王猛见桓温，扪虱而谈当世之务[⑤]；宁戚遇齐桓，扣角[⑥]而取卿相之荣。楚王轼怒蛙[⑦]，以昆虫之敢死；丙吉问牛喘[⑧]，恐阴阳之失时。以十人而制千虎[⑨]，比言事之艰胜；驰韩卢而搏蹇兔[⑩]，喻言敌之易摧。兄弟如鹡鸰[⑪]之相亲，夫妇如鸾凤之配偶。有势莫能为，曰虽鞭之长，不及马腹[⑫]；制小不用大，曰割鸡之小，焉用牛刀。

【注释】

①人彘（zhì）：汉高祖刘邦非常宠爱戚夫人，他想立她的儿子赵王如意为太子，废掉吕后的儿子刘盈，后来没有成功。汉高祖死后，吕后为了泄愤，让人砍断戚夫人的手足，挖去眼睛，熏聋耳朵，喂她哑药，并将其放入缸里，置于厕所中，称为“人彘”。

②帝羓（bā）：五代后晋时，契丹王耶律德光南侵，途中病死，他的随从便剖开他的肚子，将内脏挖出，用盐腌成干尸运回，称为“帝羓”。羓，干尸。

③梼杌（táo wù）：古代一种凶兽，人面虎足、猪牙。

④穷奇：传说中的恶兽名，形状像牛，音如獒（áo）狗，吃人。

⑤“王猛见桓温”句：东晋大将军桓温第一次北伐时，行军路上，一个衣衫破旧叫王猛的年轻人求见。他见到桓温之后侃侃而谈天下大势，分析鞭辟入里，桓温不禁暗暗佩服。而王猛在谈话的

时候，把手伸进衣服里捉虱子，神态自若，毫不羞窘。扪虱，摸捉虱子，形容毫不拘束的样子。

⑥扣角：敲打牛角。

⑦楚王轼怒蛙：楚王讨伐吴国时，出门看见因发怒而鼓气的青蛙，于是他手扶车前横木向青蛙低头致敬。

⑧丙吉问牛喘：西汉宰相丙吉有一次出巡，看到有人斗殴而死，他没有过问。后来又遇到牛在喘息，便上前详细询问。手下人不解，丙吉解释说："打死人这件事京兆尹自然会管。而现在天气还不热，牛却在喘息，这是阴阳失调之状啊！这就是我职务内的事，怎能不过问？"

⑨十人而制千虎：比喻力量不够而很难成功。

⑩驰韩卢而搏蹇兔：让良犬韩卢去追跛脚的兔子，比喻战胜敌人轻而易举。蹇兔，跛足的兔子。

⑪鹡鸰（jí líng）：形容兄弟关系和睦。

⑫鞭之长，不及马腹：比喻力不能及。

【原文】

鸟食母者曰枭[①]，兽食父才曰獍[②]。苛政猛于虎，壮士气如虹[③]。腰缠十万贯，骑鹤上扬州[④]，谓仙人而兼富贵；盲人骑瞎马，夜半临深池[⑤]，是险语之逼人闻。黔驴之技，技止此耳；鼫鼠[⑥]之技，技亦穷乎。强兼并者曰鲸吞[⑦]，为小贼者曰狗盗。养恶人如养虎，当饱其肉，不饱则噬；养恶人如养鹰，饥之则附，饱之则飏。隋珠弹雀[⑧]，谓得少而失多；投鼠忌器[⑨]，恐因甲而害乙。

【注释】

①枭（xiāo）：俗名猫头鹰。旧传小枭长大后会吃掉母枭。比喻恶人。

②獍（jìng）：像虎的恶兽，生下来就吃掉父亲。比喻不孝顺和忘恩负义的人。

③壮士气如虹：壮士的豪情就像天上的长虹，可以穿过太阳。

④骑鹤上扬州：古代有四个人谈志向，一个人想做扬州刺史，一个人想腰缠万贯，一个人想要骑鹤升仙。最后一人说自己要"腰缠十万贯，骑鹤上扬州"。形容做贪婪的妄想。

⑤盲人骑瞎马，夜半临深池：晋朝桓玄、殷仲堪、顾恺之几人比赛说耸人听闻的话。殷仲堪的一位参军插话说："盲人骑瞎马，夜半临深池。"殷仲堪感到很心惊，因为他的一只眼睛是瞎的。

⑥鼯（wú）鼠：应该是"鼫（shí）鼠"，传说鼫鼠会很多技艺，但都不精通。

⑦鲸吞：像鲸鱼一样吞食，比喻以强兼弱。

⑧隋珠弹雀：用珍贵的夜明珠去打鸟雀。比喻做事不会衡量轻重，得不偿失。

⑨投鼠忌器：比喻想铲除祸害时，有所顾忌。

【原文】

事多曰猬集[①]，利小曰蝇头[②]。心惑似狐疑，人喜如雀跃。爱屋及乌，谓因此而惜彼；轻鸡爱鹜[③]，谓舍此而图他。唆恶为非，曰教猱升木[④]；受恩不报，曰得鱼忘筌[⑤]。倚势害人，真是城狐社鼠[⑥]，空存无用，何殊陶犬瓦鸡[⑦]。势弱难敌，谓之螳臂当辕[⑧]；人生易死，乃曰蜉蝣在世[9]。小难制大，如越鸡难伏鹄卵[10]；贱反轻贵，似鸴鸠反笑大鹏[11]。小人不知君子之心，曰燕雀焉知鸿鹄志；君子不受小人之侮，曰虎豹岂受犬羊欺。

【注释】

①猬(wèi)集：像刺猬的刺一样聚集，比喻事情繁多。

②蝇头：苍蝇的头，比喻细小，多用来指小数目的钱财。

③轻鸡爱鹜(wù)：轻视鸡而喜爱野鸡，比喻舍此求彼。

④教猱(náo)升木：教唆猴子爬树，比喻教唆别人做坏事。猱，猴子。

⑤得鱼忘筌(quán)：捕到鱼后，忘了渔具。比喻成功之后就忘了成功的条件。筌，捕鱼的竹器。

⑥城狐社鼠：城墙下的狐狸，土地庙里的老鼠。比喻仗着别人的权势为非作歹的人。

⑦陶犬瓦鸡：陶土做的狗，泥土做的鸡。比喻无用处的东西。

⑧螳(táng)臂当辕：螳螂用自己的前腿挡车，比喻不自量力必然失败。辕，代指车。

⑨蜉蝣(fú yóu)在世：比喻人生短暂。蜉蝣，小虫，生命极短，早上生，晚上死。

⑩越鸡难伏鹄(hú)卵：越地的鸡很小，很难孵天鹅蛋，鲁地的鸡却能。比喻才能有大小，小才不能担大任。

⑪鸴鸠(xué jiū)反笑大鹏：比喻目光短浅的人嘲笑志向高远的人。鸴，雀类小鸟，名斑鸠。

【原文】

跖犬吠尧[1]，吠非其主；鸠居鹊巢[2]，安享其成。

缘木求鱼[③]，极言难得；按图索骥[④]，甚言失真。恶人借势，曰如虎负嵎[⑤]；穷人无归，曰如鱼失水。九尾狐[⑥]，讥陈彭年素性谄而又奸；独眼龙[⑦]，夸李克用一目眇而有勇。指鹿为马[⑧]，秦赵高之欺主；叱石成羊[⑨]，黄初平之得仙。卞庄[⑩]勇能擒两虎，高骈[⑪]一矢贯双雕。司马懿畏蜀如虎，诸葛亮辅汉如龙。

【注释】

①跖（zhí）犬吠（fèi）尧：盗跖的狗对着尧帝狂叫。比喻各为其主。

②鸠居鹊巢：鸠鸟自己不做巢，而是占据喜鹊的巢。比喻强占别人的位置。

③缘木求鱼：爬到树上去捕鱼。比喻方向、方法不对，做事白费气力。

④按图索骥（jì）：按照画的马去寻找良马，比喻做事拘泥不化，不知变通。

⑤如虎负嵎（yú）：依靠有利的地形。比喻人们依靠权势作恶。嵎，山势险峻的地方。

⑥九尾狐：异兽，形状像狐狸，有九条尾巴，婴儿声，吃人。是妖媚的象征，比喻阴险的小人。

⑦独眼龙：指李克用，唐末沙陀族人，英勇善战，被称为“飞虎子”。他有一只眼睛失明，绰号“独眼龙”。

⑧指鹿为马：比喻有意歪曲事实，颠倒黑白。

⑨叱（chì）石成羊：传说魏晋黄初平十五岁时，在山中放羊，被一道士带走，后来他的哥哥找到他，羊却不见了，只有散落在草中的白色石块。哥哥很疑惑，黄初平笑着喊道：“羊起！”这些石头就变成了羊。

⑩卞庄：春秋时鲁国汴邑大夫，有勇力。

⑪高骈（pián）：唐末幽州（今北京）人，官至淮南节度使。

【原文】

鹪鹩[①]巢林，不过一枝；鼹鼠[②]饮河，不过满腹。人弃甚易，曰孤雏腐鼠[③]；文名共仰，曰起凤腾蛟[④]。为公乎，为私乎，惠帝问虾蟆[⑤]；欲左左，欲右右，汤德及禽兽。鱼游于釜中[⑥]，虽生不久；燕巢于幕上[⑦]，栖身不安。妄自称奇，谓之辽东豕[⑧]；其见甚小，譬如井底蛙。父恶子贤，谓是犁牛[⑨]之子；父谦子拙，谓是豚犬之儿。出人群而独异，如鹤立鸡群；非配偶以相从，如雉求牡匹[⑩]。

【注释】

①鹪鹩（jiāo liáo）：即巧妇鸟。它的巢非常精致。

②鼹（yǎn）鼠：田鼠，善于挖洞。

③孤雏腐鼠：比喻微不足道的人或物。孤雏，幼鸟。

④起凤腾蛟：如凤凰起舞，蛟龙腾空。比喻文章内容丰富，富有文采。

⑤惠帝问虾蟆：典出《晋书·惠帝纪》。一次晋惠帝在花园中听到虾蟆叫，于是问身边的人："这是为官，还是为私？"身边的人玩笑说："在官地则为官，在私地则为私。"

⑥鱼游于釜中：比喻身处绝境，危在旦夕。

⑦燕巢于幕上：比喻处境非常危险。

⑧辽东豕（shǐ）：比喻少见多怪，自命不凡。

⑨犁牛：耕牛。古代祭祀时用的牛必须毛色纯正。比喻微贱的人。

⑩雉求牡匹：野鸡求公兽。比喻淫乱无礼。飞禽的公母叫雌

雄，走兽的公母叫牡牝。

【原文】

天上石麟①，夸小儿之迈众②；人中骐骥③，比君子之超凡。怡堂燕雀④，不知后灾；瓮里醯鸡⑤，安有广见？马牛襟裾⑥，骂人不识礼义；沐猴而冠⑦，笑人见不恢宏。羊质虎皮⑧，讥其有文无实；守株待兔，言其守拙无能。恶人如虎生翼⑨，势必择人而食；志士如鹰在笼，自是凌霄有志。鲋鱼困涸辙⑩，难待西江水，比人之甚窘；蛟龙得云雨⑪，终非池中物，比人大有为。执牛耳⑫，谓人主盟；附骥尾⑬，望人引带。鸿雁哀鸣⑭，比小民之失所；狡兔三窟，诮贪人之巧营。

【注释】

①天上石麟：称赞儿童前程远大。

②迈众：出类拔萃。

③人中骐骥（qí jì）：出类拔萃的人。骐骥，良马。

④怡（yí）堂燕雀：小鸟住在舒服的堂屋里。形容不知居安思危的人。

⑤瓮里醯（xī）鸡：瓦罐中的小虫子，比喻见识不多。

⑥马牛襟裾（jū）：牛马即使穿人衣，也还是依动物的行为，形容不知礼仪的人。

⑦沐猴而冠：猕猴戴人的帽子。比喻虚有其表，有名无实。沐猴，猕猴。

⑧羊质虎皮：羊披上虎皮。比喻只是白白地有好的衣冠。比喻徒有虚名，无实际能力。

⑨恶人如虎生翼：如果帮助坏人作恶，他会像长了翅膀的老虎更加无所顾忌。

⑩鲋（fù）鱼困涸辙：小鱼被困在快干掉的车辙里，比喻处境非常困难。

⑪蛟龙得云雨：比喻有才华的人终究会施展抱负。

⑫执牛耳：古代诸侯国之间歃血为盟时，要取牛耳血，割下的牛耳朵盛放于盘中，由主盟者捧着，所以称主盟者为执牛耳。

⑬附骥尾：苍蝇附在千里马的尾巴上。比喻依附贤者成名，谦辞。

⑭鸿雁哀鸣：大雁与雁群走失会发出哀鸣声。比喻流离失所的人。

【原文】

风马牛势不相及[①]，常山蛇[②]首尾相应。百足之虫，死而不僵[③]，以其扶之者众；千岁之龟，死而留甲[④]，因其卜之则灵。大丈夫宁为鸡口，毋为牛后[⑤]；士君子岂甘雌伏[⑥]，定要雄飞[⑦]。毋局促如辕下驹[⑧]，毋委靡如牛马走[⑨]。猩猩能言[⑩]，不离走兽；鹦鹉能言，不离飞鸟。人惟有礼，庶可免相鼠之刺；若徒能言，夫何异禽兽之心？

【注释】

①风马牛势不相及：典出《左传·僖公四年》。春秋时，齐国出兵攻打楚国，楚国派使者对齐军说："你们在北方，我们在南方，彼此的距离很远，是风马牛不相及也。"比喻事物之间没有任何联系。

②常山蛇：古代传说中能首尾互救的蛇。后指一种首尾相顾阵法。

③百足之虫，死而不僵：比喻大家族或集团虽然败落了，影响依然存在。贬义。百足，马陆，切断后头尾仍可行动。

④千岁之龟，死而留甲：古时人们都认为龟是灵兽，而且寿命很长，因此龟死后人们留下龟甲来占卜。

⑤宁为鸡口，毋为牛后：鸡嘴虽小，可啄食；牛屁股虽大，只能被人鞭打。比喻宁肯在小地方主事，也不去大地方受人支配。

⑥雌伏：屈居人下。

⑦雄飞：奋发图强。

⑧辕下驹：在车辕下不懂驾车的小马，比喻与人相处有所顾忌，拘束不安。

⑨牛马走：像牛马一样供人驱使，即仆人。常用作自谦之词。

⑩猩猩能言：猩猩的叫声像小孩，所以传说它能说人话。

花木

【原文】

植物非一，故有万卉[①]之名；谷种甚多，故有百谷之号。如茨如梁[②]，谓禾稼之蕃[③]；惟夭惟乔[④]，谓草木之茂。莲乃花中君子，海棠花内神仙。国色天香，乃牡丹之富贵；冰肌玉骨，乃梅萼[⑤]之清奇。兰为王者之香，菊同隐逸之士。竹称君子，松号大夫。

【注释】

①卉：草的总称。

②如茨（cí）如梁：像茅草屋顶那么厚，像房梁那么高。形容庄稼长势茂盛。

③蕃：茂盛，繁多。

④夭：茂盛。乔：高大。

⑤梅萼（è）：梅花蕊。

【原文】

萱草可忘忧，屈轶[①]能指佞。筼筜[②]，竹之别号；木樨，桂之别名。明日黄花[③]，过时之物；岁寒松柏，有节之称。樗栎[④]乃无用之散材，楩楠[⑤]胜大用之良木。玉版，笋之异号；蹲鸱[⑥]，芋之别名。瓜田李下[⑦]，事避嫌疑；秋菊春桃[⑧]，时来尚早。南枝先，北枝后，庾岭之梅；朔而生，望而落，尧阶蓂荚[⑨]。

【注释】

①屈轶（yì）：又名“指佞草”。传说中的一种仙草，见到奸佞

的人就指向他。

②筼筜(yún dāng):大竹子,长在水边。

③明日黄花:比喻过时的事物或消息。宋朝大诗人苏轼在《九日次韵王巩》中写道:“相逢不用忙归去,明日黄花蝶也愁。”

④樗栎(chū lì):樗树和栎树。比喻无用之才,也是自谦之词。

⑤楩(pián)楠:黄楩木和楠木,珍贵的木材。

⑥蹲鸱(chī):指芋头,形状像蹲坐的鸱鸟。

⑦瓜田李下:三国魏曹植《君子行》里写道:“君子防未然,不处嫌疑间。瓜田不纳履,李下不正冠。”后指处在敏感环境中要谨慎,避免嫌疑。

⑧秋菊春桃:表示时间早晚的不同。

⑨尧阶蓂荚(míng jiá):传说尧帝时阶下生的一种仙草,叫蓂荚。

【原文】

苾刍①背阴向阳,比僧人之有德;木槿朝开暮落,比荣华之不长。芒②刺在背,言恐惧不安;薰莸③异气,犹贤否有别。桃李不言,下自成蹊④;道旁苦李⑤,为人所弃。老人娶少妇,曰枯杨生稊⑥;国家进多贤,曰拔茅连茹⑦。蒲柳⑧之姿,未秋先槁;姜桂⑨之性,愈老愈辛。王者之兵,势如破竹⑩;七雄⑪之国,地若瓜分。苻坚望阵,疑草木皆是晋兵;索靖知亡,叹铜驼会在荆棘⑫。

【注释】

①苾刍(bì chú):佛经中的一种草,据说有五德:生不背日,冬夏常青,体形柔软,香气远腾,引蔓旁布。后用来赞美僧人。

②芒：草尖。

③薰莸（yóu）：薰是香草，莸是臭草。比喻善人和恶人。

④桃李不言，下自成蹊（xī）：桃李成熟，树下自然会被走成小路。比喻人只要真诚，终会感动别人。蹊，小路。

⑤道旁苦李：晋代王戎七岁时，和小伙伴们一起去玩，看到路边李子树结了很多李子。小伙伴都抢着去摘，只有王戎没动，他说："路旁的李子树还有这么多果实，一定是苦李子。"后来大家尝了一下，果然是苦的。

⑥稊（tí）：植物嫩芽。

⑦茹：植物根部相互缠绕牵连。

⑧蒲柳：水杨树，不到秋天就枯萎了。形容人早衰。

⑨姜桂：生姜和肉桂，味道愈老愈辣。比喻人越老越刚强。

⑩势如破竹：形容作战或工作非常顺利。

⑪七雄：指战国的七个诸侯国，即秦、楚、燕、韩、赵、魏、齐。

⑫索靖知亡，叹铜驼会在荆棘：索靖是西晋的尚书，他很有先见之明，知道天下将大乱，于是指着洛阳宫门前的铜骆驼叹道："下次恐怕你就要淹没在荆棘之中了。"后以"铜驼荆棘"形容亡国的景象。

【原文】

王祐知子必贵，手执三槐[①]；窦钧[②]五子齐荣，人称五桂。钼麑触槐[③]，不忍贼民之主；越王尝蓼[④]，必欲复吴之仇。修母画荻以教子[⑤]，谁不称贤；廉颇负荆以请罪，善能悔过。弥子瑕[⑥]常恃宠，将余桃以啖君；秦商鞅欲行令，使徙木以立信[⑦]。王戎卖李[⑧]钻核，不胜鄙吝；成王剪桐封弟[⑨]，因无戏言。齐景公以二桃杀三士，杨再思谓莲花似六郎[⑩]。倒啖蔗，渐入佳境；蒸哀梨，大失本真[⑪]。煮豆燃萁，比兄残弟；砍竹遮笋，弃旧怜新。

【注释】

①“王祜(hù)”句：宋代人王祜知道自己的子孙将来会荣贵显达，于是在庭院中亲手种植了三棵槐树，后来他的二儿子王旦在宋真宗时当上了宰相。三槐，古代指朝廷的三公。

②窦钧：五代后周人，五个儿子都考中做官。时人称为“窦氏五龙”。

③钼魔(chú ní)触槐：据《左传》记载，晋灵公为人残暴无道，赵盾屡次劝谏，他全然不听，而且派出钼魔去刺杀赵盾。钼魔看到赵盾早早地就穿好朝服准备上朝，态度十分恭敬，认为杀了为民做主的人是不忠，不执行君王的命令是不信，于是撞槐树身亡。

④蓼(liǎo)：味道辛辣的草本植物。

⑤画荻(dí)以教子：宋代欧阳修幼时家贫，他的母亲为了教他读书，用芦苇在地上写字。

⑥弥子瑕：春秋时卫灵公的宠臣。

⑦徙木以立信：战国时，商鞅在秦国推行变法，法令公布之前，他在国都南门立一根三丈之木，公布告示说谁能把它搬到北门去，就赏十金。大家将信将疑，于是商鞅又下令赏金增加到五十金。有一个人把木头扛到北门，果然拿到五十金。如此取信于民之后，新法颁布得到很好的执行。

⑧王戎卖李：西晋的王戎家种有一棵很好的李子树，他卖李子时，怕别人将种子留着栽种，因此会把李子核挖出来。

⑨剪桐封弟：周成王一次与弟弟叔虞一起玩的时候，将桐树叶

做成的玉圭送给弟弟，并戏言说："我封你为诸侯。"于是史官请求加封的日期，成王说自己是在开玩笑，史官说："君子无戏言。"于是就选定日子封叔虞为唐侯。

⑩莲花似六郎：唐朝的张宗昌小名六郎，武则天很宠爱他。官员杨再思担任内史，极力讨好张宗昌，有人赞美张宗昌说："六郎似莲花。"杨再思说："非也，是莲花似六郎。"

⑪蒸哀梨，大失本真：典出《世说新语·轻诋》。南京有姓哀的人家，种的梨非常大，味道甜美，若蒸着吃，就会失掉本来的味道。

【原文】

元素致江陵之柑[①]，吴刚伐月中之桂。捐资济贫，当效尧夫之助麦[②]；以物申敬[③]，聊效野人之献芹[④]。冒雨剪韭[⑤]，郭林宗款友情殷；踏雪寻梅，孟浩然自娱兴雅。商太戊能修德，祥桑自死[⑥]；寇莱公有深仁，枯竹复生[⑦]。王母蟠桃，三千年开花，三千年结子，故人借以祝寿诞；上古大椿[⑧]，八千岁为春，八千岁为秋，故人托以比严君[⑨]。去稂莠[⑩]正以植嘉禾，沃枝叶不如培根本。世路之蓁芜[⑪]当剔，人心之茅塞须开。

【注释】

①江陵之柑（gān）：唐朝方士董元素会法术。一天夜里，唐宣宗想要吃江南的柑橘，于是召见他。董元素把一个盒子放在御榻前。一会儿，一阵微风吹来，打开后，盒子里面装满了柑橘。

②尧夫之助麦：北宋范仲淹的二儿子范尧夫去东吴取租，路遇石曼卿家有丧事，没钱操办，就把麦子给了他。

③申敬：表示敬意。

④野人之献芹：相传古代有个人觉得水芹味道很美，就向乡里

的富豪推荐。富豪尝了以后，觉得难吃，而且腹疼不止。于是大家都嘲笑这个人，他自己也感到非常惭愧。

⑤冒雨剪韭：汉代郭林宗友人范达深夜来访，郭林宗便冒雨割韭菜做饼招待范达。

⑥祥桑自死：商王太戊即位后，有棵桑树不断生长，据说这是对施政者的警告。太戊听闻后实行德政，三天后这棵树就死了。

⑦枯竹复生：宋代寇莱公宋寇后来被贬为雷州司户参军，过了一年就去世了。归葬西京时，灵柩经过荆南公安，县里的人在路边设祭，并折竹插在地上挂纸钱。过了一个月，枯竹竟然生出竹笋来。

⑧椿（chūn）：椿树。

⑨严君：指父亲。

⑩稂莠（láng yǒu）：田中的杂草。比喻害群之马。

⑪蓁芜（zhēn wú）：荆棘。